赤の謎

画家·笹尾光彦とは誰なのか

奥野武範
（ほぼ日刊イトイ新聞）

はじめに

奥野武範（ほぼ日刊イトイ新聞）

こんな不思議な本をつくるつもりはなかった。画家・笹尾光彦の愛すべき人柄と、明るい光に満ちた絵を、紙に残したかっただけだった。いつもの笹尾さんが、いつもの顔でそこにいる。そんな本になるはずだった。それなのに。かつての部下、広告マン時代を知るマーケターや写真家、笹尾作品のコレクター、俳優のかたせ梨乃さん、直木賞作家の村松友視さん……12組のインタビューを終えたいま、当初の目論見は、はるか遠くへ消え失せてしまった。

あらためて、笹尾光彦とは誰なのか。多摩美術大学を卒業後、長く広告業界で活躍。外資系広告代理店の副社長にまで上り詰めるも、突如「56歳」で画家へと転身。いきなり「絵で食べていく」ことを宣言し、華麗なキャリアと肩書を手放す。翌年、渋谷のBunkamura Galleryで初の個展を開催。以来26年にわたって同じ場所で個展を開き続けている。1年かけて描きためた作品は、2週間ほどの会期中に、ほぼ売り切れてしまうという。冷静に考えたら、おそろしい話だ。56歳からということも、四半世紀以上ということも、売り切れちゃうということも。そんなことが、どうして可能なのだろう？　そもそも「絵で食べていく」こと自体、現代社会では至難の業である。そして自分は、その「笹尾さんのおそろしさ」に、まるで気づいていなかった。12のインタビューを終えるまでは。

気づかなかった理由は、笹尾さんの「人柄」のせいだ。やさしく、おだやかで、親しみを感じる人物像に、「おそろしさ」という言葉はもっとも遠い。誰にとっても「素敵なものや知識をくれる、大好きな親戚のおじさん」みたいな人なのだ。何年も前、笹尾さんの個展に寄せた文章がある。自分にとっての笹尾さんは、ずっとこういう人だったので、少し長くなるが全文を引いてみる。

パリは、遠い街だった。凱旋門も、エッフェル塔も、ルーヴル宮も、教科書のなかの建物だった。そのことについて、心底もったいないという顔をして「絶対に一度は行ったほうがいいですよ。短い期間でも」と笹尾さんは言った。笹尾さんという人は、ときに強めに「断言」するけど、そのときも、そんなふうだった。ただ、何よりパリを愛してやまない人の言葉だ。正直あまり本気にしなかったし、ちょっとだけおかしくもあった。でも、ほどなく笹尾さんから届いた「おのぼりさんのためのパリ案内」を読み終えたとき、ぼくの目つきは真剣になっていた。「初日は凱旋門の上からパリを眺めて、ダニエル・ビダルを口ずさみながらシャンゼリゼを歩きましょう。疲れたら、リヴォリ通りのアンジェリーナでモンブランを。ランチは……」初心者のための懇切丁寧なパリ案内。滞在初日から最終日まで、緻密に練り上げられた行動日程。笹尾さんは「本気」だったのだ。こうして凱旋門も、エッフェル塔も、ルーヴル宮も、教科書のなかの建物ではなくなった。遠くに大切な街がひとつ増え、人生にはパリが必要だと知った。笹尾さんが、そのことを、教えてくれた。前置きが長くなってしまったけれど、笹尾さんという人は、一事が万事このとおりの人である。ご自身の誕生日には、親しい友人を招いて美味しいランチを「ごちそうしてくれる」。歳だってだいぶ離れているのに、大切な友人だと思えてしまう。そんな人だから、こういう絵が描けるのだと思う。笹尾さんの絵を前にすると、大きな花束で迎えられているようにうれしい。そこから「ようこそ」という親しげな声が聞こえる。こんな部屋なら、いつまでもひるねできそうだ。笹尾さんの絵を見るたびに、芸術行為とは、それをつくった人間全体のことなんだなあと、つくづく思うのです。

（2019年の第22回笹尾光彦展のために）

こう書いたときの気持ちは、いまも変わらない。いつでもやさしく、わけへだてなく、美しいもの美味しいものおもしろいもの、有形無形いろんなものを与えてくれる、少し歳の離れた大切な友人。笹尾さんの描く絵は、鮮やかな赤と、明るい光と、美しい花々と、パリの素敵なものとで満ちている。観る者を元気づけ、明るくあたたかな気持ちにさせてくれる。それなのに。12のインタビューを終えたいま、目の前に「知らない笹尾光彦」が立っているのだ。明るく楽しい絵の奥に、それだけではない何かが見えるのだ。ひょいと入ったパリの路地裏に、底なしの宇宙が広がっていたような気分。知れば知るほど「笹尾光彦とは誰なのか」わからなくなった。いまはただ「笹尾光彦」という画家について、その絵について、もっと深く探求したいと感じている。

目次

はじめに……2

去り際の美しい人。
佐伯誠（文筆家）……9

最初から「赤の画家」だった。
宇佐美清（ブランディングディレクター）……19

サンタみたいな、妖精みたいな。
柿畑江里（キル フェ ボン）……31

迷いを見せない、ノーと言わない。
井上嗣也（アートディレクター）……41

健さんから花が2回届く人。
松本紀子（ドワーフ プロデューサー）……53

「赤の力」に背中を押されて。
和田浩子（マーケター・コンサルタント）……65

腕っぷしの強い、笹尾ちゃん。
立木義浩（写真家）……………… 77

神さまが会わせてくれた人。
中嶌重富（アラヤ株式会社 代表取締役社長）……………… 89

何かをポンと置いてくれる人。
串田明緒（写真家・文筆家・企画コーディネート）……………… 99

100号の絵を、飾る場所もないのに。
神保純子（出版社勤務）・泰彦（大学教授）……………… 111

フランスの家庭料理みたいな。
かたせ梨乃（俳優）……………… 123

いつまでも、気になるやつ。
村松友視（作家）……………… 133

去り際の美しい人。

佐伯誠
（文筆家）

1

――笹尾さんと佐伯さんは、外資系広告代理店のマッキャンエリクソン博報堂で「上司と部下の関係」だったそうですね。

佐伯　ええ。ぼくは、その会社に2年くらいしかいなかったので、期間は短いんですけど。笹尾さんが率いていたグループは「タスクフォース」と呼ばれていました。多忙な広告代理店の中でもいちばん忙しい、競合とのプレゼンだけを担当するチームだったんです。

――ウワサに聞く「バリバリ時代」の笹尾さんですか……うまく想像できません。

佐伯　当時、若くて元気なやつらが徹夜なんかしながら仕事をしてました。ぼくも新卒で入ってますから、20代の前半。でね、そう考えると、あのころの笹尾さんって、まだ20代後半だったんだなあ。

――若い！

佐伯　そういう年齢で、イキのいいやつらの集団を率いていた。ずいぶん若いリーダーだったんですね。

――上司としては、どうでしたか。まさか「怖かった」とか……？

佐伯　いや、当時の笹尾さんって、いまで言う「パワハラ」みたいなことをしなかったのはもちろん、「部下を管理しよう」という気もなかったというか……終業時刻になるとスッと帰っちゃうんですよ。その感じって、あの時代、非常に新しかったと思います。プライベートな時間を大事にしていたんでしょうね。自己流のスタイルを徹底していた人でした。

――いまから50年くらい前の話ですよね？　きっと、相当めずらしい「勤め人」ですよね。

佐伯　だって、他のメンバーは何日も泊まり込んでたりするわけだから。それでも会社に重用されていた。それだけ仕事ができたんだと思います。しかも、ぼくら下の人間からは慕われていたんです。

――独自のスタイルで、外資系広告代理店の精鋭部隊みたいなチームを率いていた……と。ただ、事前に笹尾さんからも「佐伯さんの思い出」をうかがっているんですが、佐伯さんも「ときどき会社に来なかった」「あるときなんか、今日も来ないなと思ってたら『天気がいいので、いま海へ向かっています』なんて電話をよこしてさ」って……（笑）。

佐伯　ああ、はい（笑）。まあ、当時から週休2日で、わりと自由な会社だったんですけど、たしかにぼくは、けっこう遅刻してました（笑）。なかなか会社に来ないから、笹尾さんが実家に電話をかけてくるんですよ。そのたびにお袋が出て……そのことを言ってるんだと思います。

――どうして遅刻しちゃうんですか。大先輩にこんなことを聞くのもアレなのですが。

佐伯　大学生のころから、目黒の大岡山で学習塾の講師をしていたんです。古い一軒家だったんだけど、当時は、そこで寝泊まりしているような状態でした。だから、その、朝起こしてくれる人もいないというか……遅くに起き出しては「あ、いけね！」って、あわててタクシーを拾って。会社に着くのは、だいたい昼すぎ。でも、笹尾さんは一切文句を言わなかったなあ。

――小言を言ったりとかも？

佐伯　ぜんぜん。嫌な顔ひとつ、しませんでした。その上の部長クラスの人からは、こっぴどく叱られたりもしたんだけど、笹尾さんは何も言いませんでしたね。それはぼくだけじゃなくて、ぼく以外の人間に対しても怒ったりした場面を見たことがない。プレゼンに負けて悔しがってる姿も、一切。一緒に仕事をやっていればね、いろんな場面に出くわすものですけど……笹尾さんは、いつでも「一定」だったという気がする。仕事の進め方もソフトで穏やかだし、せっかちなところのない人でした。だから、みんなに好かれていたんだと思います。

――当時の笹尾さんって「アートディレクター」ですよね。ご自身で手も動かしていたんですか？

佐伯　ええ、もちろん。テレビコマーシャルをつくる部署だったから、ストーリーボードを描いたりしてました。ミーティングでも率先してアイデアを出してましたし。笹尾さんは、その後、レオ・バーネット協同という外資系広告会社の副社長になるんですけど、そこでも、高倉健さんと一緒に有名なタバコのＣＭをつくったりしてたんです。知ってるかもしれませんが。

――副社長といえば経営を担う役割だと思うんですが、変わらず現場にも出てたってことですか。

佐伯　だからね、それくらい広告的なキャリアのある人だったのに、どうしていきなり絵描きになっちゃったのか……その間の事情がよくわからないんです。会社を辞めてからずっと会ってなかったんだけど、6～7年前のある日、渋谷のBunkamuraへ行ったら笹尾さんが展覧会をやっていて。

――あ、そういう再会の仕方だったんですか。

佐伯　そう。隣のカフェで誰かと待ち合わせてたのかな。ふと見たら「あ、笹尾さんだ」と思って会場をのぞいたんです。そしたら、そこに、笹尾さんがいた。奥さんと一緒に。そうやって何十年かぶりの再会を果たしました（笑）。ずいぶん長いこと会ってなかったのに、すぐにぼくのことをわかってくれてね。そのことが、とてもうれしかったな。顔を合わせた瞬間、何十年もの時間と距離が一気に縮まったような気がしました。

――そのとき、笹尾さんの絵をごらんになって、どう思われましたか？

佐伯　うん、合点がいったんです。なるほどなあって。つまり、会場を埋め尽くす「赤い絵」を観たら「ああ、そうか。笹尾さんって画家になる人だったんだ」って。何となく合点がいったのを、覚えています。

――何十年ぶりの再会ということですが、一緒にはたらいていた当時、仕事以外の場面では、どういうおつきあいをされていたんですか？　たまには飲みに行ったりとか？

佐伯　いや、それがね、飲みに行くとか、麻雀だとか、そういうつきあいは一切ナシ。来ないんですよ、誘っても。ぼくらだって、ときどきは声をかけるんです。笹尾さん、飲みに行きませんかって。でも笹尾さんは、いつでも「俺は男とつきあう気はない」って、にべもなく（笑）。つまり、つきあうなら女性だって意味なんだろうけど、その点も徹底していました。でも、このあいだしゃべってたら、（高倉）健さんが「この中で、いちばん体育会系なのは、笹尾さんだよな」って言ってたらしいんです。

──あ、聞いたことがあります。その話。

佐伯　だから、そういう一面もあったのかなあ……って。少し意外でした。

──同じ会社にいたのはたったの2年間で、しかも、いちども飲みに行ったりしたことがないのに、その後、何十年も手紙のやり取りは続いていたんですよね。

佐伯　そうなんです。

──笹尾さんって、よく手紙や絵葉書をくださいますけど、でも、逆に言えば「手紙だけ」でつながっていた何十年があり、6年とか7年前に、不意に再会して……。

佐伯　不思議ですよねえ。こうして、またおつきあいがはじまるんだから。

──笹尾さんって、着ているものもおしゃれだなあと思うんですが、広告代理店時代は、どんな格好をしていたんですか？

佐伯　ああいう感じでしたよ、当時から。

——スーツとかじゃなくて？　リーダーだったり、管理職だったり、副社長だったりするのにボーダーのシャツ、みたいな？

佐伯　副社長の時代はわかりませんが、少なくともぼくの知ってる笹尾さんは、いまみたいな格好だったと思います。洋服の趣味も変わってないんじゃないかなあ。少なくともスーツにネクタイみたいな姿は見たことがない、ぼくは。持ってないんじゃない？（笑）

——じゃあ、若いころの印象から変わってないですか、佐伯さんの中では。

佐伯　ぜんぜん変わってないですね。ただ先日、この本の打ち合わせに同席させてもらったでしょ。あのときの笹尾さん、自分から会議をガンガン仕切っていて……つまり、ちがうと思ったプランには、頑として首を縦に振らなかったじゃないですか。あの姿を見て、ちょっとびっくりしたんです。あんな笹尾さん、ぼくは見たことなかったから。やっぱり仕事のできる人だったんだなと思いましたね。ぼくが同席していない会議では、あんなふうに、グイグイ物事を進める人だったのかもしれないって。

——ぼくは画家になってからの笹尾さんしか知らないんですけど、ずっと、ああいう印象です。何度かプロジェクトを一緒にやったんですが、プレゼン用の資料を、かならず「手描き」で人数分、きっちり用意してくるんです。

佐伯　そうそう、あれもすごいなあと思って見てました。物腰は柔らかいんだけど、やりたいことがはっきりしていて、譲らないところは絶対に譲らないという。

――はい、コンセプトというものが、いつでも、きちんと決まっている感じです。目の前の問題をひとつひとつ片付けながら、目的を粛々と実現していく人。言ってみれば「静かなブルドーザー」みたいな。

佐伯　なるほど。企画によっては、話が半年くらい行ったり来たりすることってあるじゃないですか。ぼくなんかそういうタイプなんだけど、あの日の笹尾さんは、一気に「土俵際」へ持っていったよね。だから……どうですか、雑談って、します？

――笹尾さんと、ですか……？　するにはすると思うんですが、たしかに「だらだら雑談」っていうのはないかもしれません。とくにミーティングの場では「さっそく本題」って感じで、斬り込んできますし。

佐伯　そうそう、その感じは昔からかもしれない。相手のようすをうかがったり、本題へ向けて「迂回してくる感じ」が、まったくないというか。ぼくなんかは「そういえば、この前、テレビで見たんですけど……」とかって、しょうもない話から入りがちなんだけど（笑）。

――いつでも「単刀直入」ですよね。

佐伯　だからね、ぼくは「もっと話してみたい」んですよ。笹尾さんと。映画の話とかね、何でもない話を、だらだらと。

――ああ、わかります。

佐伯　だって、笹尾さんのことを一言でいうと「その場にいない人」だから。同じ会社ではたらいていたころも、多くの時間をともにはしたけれど、一緒に徹夜したり飲んだりはしていない。笹尾さんだけ、いつも「その場にいない」んです。

――おもしろいですね……そんなにも「いない人」が、みんなに慕われるなんて。

佐伯　とにかく「きれい」なんです、去り際が。「じゃ」って言って、スッといなくなる。もうね、引き留めるのも野暮って感じがしちゃうんだな。ぼくにとっての笹尾さんって、そういう人。「去り際の美しい人」ですね。

――2023年7月6日　横浜にて

佐伯誠（さえきまこと）

文筆家。『陶　小川待子』（京都書院）、『僕の夜／ロベール・クートラス作品集』（エクリ）、ジョシュア・ヴォーゲル『森と木とスプーン』翻訳（クロニクル・ブックス）、マイク・エーブルソン『Fish's Mouth』超訳（エクリ）、マイク・エーブルソン『水たまりの中を泳ぐ――ポスタルコの問いかけから始まるものづくり』超訳（誠文堂新光社）など。マガジンは『ハイファッション』、ANA機内誌『翼の王国』、『papas book』などで執筆。

「Bunkamura のギャラリーで、笹尾さんと再会を果たしたのは、とてもうれしかったです。こうして本にかかわることができたのですから。好きなアーティストの本をつくるというのは、大きなよろこびです。敬愛する彫刻家、掛井五郎さんの本『遠く、近く　掛井五郎のこと』（リトルギフトブックス）を刊行したばかりです」

2

最初から「赤の画家」だった。

宇佐美清（ブランディングディレクター）

宇佐美　ぼくがまだ博報堂にいたとき、レオ・バーネット協同という外資系の広告会社へ転職していった同僚がいたんです。その人が、あるとき「遊びにこない？　笹尾さんって人に会ってよ」って言うんですよ。で、何の気なしに出かけていったんです。博報堂に入って10年……か11年目くらいかな、会社を辞めようとも思ってなかったんですが、ちょっと笹尾さんと話しただけで「よければ、うちに来てください」って。

――即断即決で、引き抜かれた。笹尾さんらしい気もします。最初の印象って、どんな感じでしたか、「笹尾光彦副社長」の。

宇佐美　「変わってるなあ、この人」ですかね（笑）。まず、レオ・バーネットって、アメリカのシカゴに本社を置く、非常にクリエイティブの強い広告会社だったんです。いまは社名が変わってますけど、たしか赤坂に日本支社があったのかな。社長は本国アメリカの人だから、副社長といえば日本人のトップ。当時、クリエイティブ出身の人がトップの椅子に座るなんて、非常にめずらしかったんです。たいがい、お金を取ってくる営業系の人がえらくなるもんだから。

――そういう意味でも「変わっていた」と。

宇佐美　で、そんな「外資系の副社長」っていうからには、きっと居丈高というか、威張ったような人だろうと思ってたんです。そしたら、ぜんぜんそんなことなかった。むしろぼくより丁寧な口ぶりで、めちゃくちゃ腰が低い。会うなり「笹尾です」ってビシッとお辞儀された姿を、いまでもよく覚えています。

――宇佐美さんの現在の肩書は「ブランディングディレクター」ですが、当時から「ブランド」について考えてらっしゃったんですか？　専門というか、お仕事の内容としては。

宇佐美　もともと「ブランド」というものに興味があったんです。ブランド戦略の先進国アメリカで書かれた文献を読んだりして自分なりにいろいろ考えて、あの当時、1993年くらいですけど、ブランドについての小論文を書いたんですね。「個々のブランドの持つ特性に基づいて戦略を練り、広告表現をしなければならない」というような内容だったんですが、博報堂の社長に見せたら、赤字で大きく「時期尚早」って書かれて戻ってきまして。

――時期尚早。でも、現代的な感覚で聞くと非常にまっとうというか……。

宇佐美　常識ですよね、いまでは。でも当時の日本には、まだ「ブランド戦略」的な考え方が根付いていなかったんです。博報堂にさえも、です。だから、この会社にいても「ブランド」についての考えを深めることはできないなとは思っていました。そういうフラストレーションもあったのか、はじめてお会いした笹尾さんにも「そのブランドをどうしていきたいのか、そのためには誰に対して何を訴えるべきか。ビジョンを定めたうえで戦略を練り、ターゲットを見極め、ふさわしいメディア表現をすべきだ……」みたいなことを、まあ、話したんですね。

――ええ、ええ。

宇佐美　そしたら笹尾さんは「うん、うん」って頷きながら「それが、ふつうの考え方だよね」っておっしゃったんです。そこでまた、びっくりしちゃって。「いやいや、博報堂ではふつうじゃないんです。『時期尚早』なんです！」と言ったら「そうだね、電通でも博報堂でも、日本じゃふつうじゃないかもね」って。「ああ、ここに、ブランドのことをわかっている人がいる！」と思いました。

――そういう話って、あんまり通じなかったってことですか。当時の宇佐美さんのまわりでは。

宇佐美　もちろん、博報堂にも優秀な人はたくさんいましたけど、ブランド戦略云々なんてやりはじめると「ああ、その話はまた今度。飲みに行ったときにでもさ」なんて、はぐらかされたりしてました。でも、笹尾さんと話したら気持ちいいほど通じる。やっぱり外資系には「わかってる人」がいるんだなと。

――笹尾さんの広告クリエイティブ時代のことを何にも知らないのですが、宇佐美さんが、笹尾さんのつくった広告で覚えているものってありますか？

宇佐美　Gilletteって髭剃りの広告で、朝刊の全15段だったんですけど、ランディ・バースって知ってます？

――もちろんです。阪神タイガースの、「バース掛布岡田」の、「伝説のバックスクリーン三連発」の。

宇佐美　そうそう、そのバースを起用した広告なんですが、あの人、すごい髭だったでしょ。まず、ある日の朝刊の全面広告。バースの顔写真に「明日のオレを見てくれ」ってコピーが添えてある。で、翌日の朝刊では、前日までボーボーだった髭をキレイに剃ったバースが「こいつは、カミソリの三冠王だ」って。

――あぁっ……何となく知ってます。あの広告をつくったの、笹尾さんだったんだ！

宇佐美　笹尾さんの、クリエイティブディレクターとしての仕事だと思います。

――じゃ、宇佐美さんも、レオ・バーネット協同へ入社したあとは、笹尾さんと一緒にそういったお仕事を？

宇佐美　ええ、しばらくはクリエイティブをやっていたんですが、あるときに「アカウントプランニング部」という部署ができるというので、そこへ異動しました。さっき言ったブランドの考え方を実践していく、ブランド戦略を練っていく部署なんですが、そこの日本人トップをやってほしいと社長に言われたんです。

――ずっと宇佐美さんが考えてきたことをやってくれと。それってつまり、宇佐美さんとしても「やりたかった仕事」だったわけですよね？

宇佐美　そうなんです。当時、笹尾さんは何も言わずに「よろしくね」って言ってただけなんです。ニヤニヤしながら。でも、そういうふうに差し向けてくれたのが、じつは笹尾さんだった。ぼくは、そのことを、あとになってから知るんです。

――宇佐美さんには、得意の「ブランド戦略」の分野で活躍してもらおうと。「笹尾副社長」が。

宇佐美　あいつはキャッチフレーズがどうこうみたいなタイプじゃなく、クリエイティブの手前のブランド戦略に携わるほうが合っているんだ、と。そういう判断を、会社に示してくれたんでしょうね。で、ぼくはぼくで「自分にはアカウントプランニング部の仕事が性に合ってるなあ」と感じたんです。

――宇佐美さんが初対面の笹尾さんに話したのが「ブランド戦略」のことで、現在の宇佐美さんの肩書が「ブランディングディレクター」で。つまり、いまの宇佐美さんへと「導いてくれた」ひとりが笹尾さんである、ということでしょうか。

宇佐美　そのとおりです。まだ、あるんです。あるときエレベーターの中で言われたんです。「宇佐美さ、ブランドの本、書きなよ」って。笹尾さんに言わせると「ぼくは、そんな不躾《ぶしつけ》な言い方してないよ」なんておっしゃるんだけど、はっきり覚えてます（笑）。「宇佐美さ、ブランドの本、書きなよ」って。

――おお。

宇佐美　その後も廊下ですれちがうたびに「ブランドの本、どうした？」って聞いてくるんです。そのたびに「いやいや、ぼくなんかには無理ですよ」って答えてたんだけど、「何言ってんだ、書きなよ。書けるよ」って。最初は冗談だろうと思ってました。でも、何度も何度もおっしゃるし……よくよく考えたら、そんな冗談を言う人でもない。だから、あるときに「わかりました。すぐには無理ですけど、いつか」って答えたら、「いますぐ書きゃいいのに」って。

――宇佐美さんの著書『USAMI のブランディング論』は、その笹尾さんの言葉がきっかけでうまれた。

宇佐美　10年、かかりましたけど。

――10年！　10年かけて、笹尾さんとの「約束」を果たしたんですか……はあ……！

宇佐美　はい（笑）。本が出るころには、笹尾さんはすっかり画家になってました。でも、展覧会に行っても言われ続けていたんです。「ブランドの本、どうした？」って。

――広告の世界から離れてからも、ずっと。心の底から書いてほしかったんでしょうね。宇佐美さんに、ブランドの本を。でも「10年、言い続ける」って、そのこと自体がすごいです。半端な気持ちじゃ絶対に無理ですもん。

宇佐美　そういう人じゃないですか、笹尾さんって。人のことをじっと見て、「この人には、これだ」と思ったら「言い続けてくれる」んですよ。言われ続けて、ぼくは、うれしかった。だって「あいつなら書ける」って思ってくれていたということだから。そのおかげで「書けた」んです、あの本。

――クリエイティブディレクター……なんですね、どこかで。画家になってからも、やっぱり。

宇佐美　タイトルの『USAMI のブランディング論』についても「USAMI の」って入れたらどうかとアドバイスをくださいました。さらに「ブランディング」だと断定的すぎるから「ブランディング論」って「論」をつけなよ、と。そうすれば「USAMIの私論」になるから、誰も文句ないでしょって。

――ブランド論がめずらしい時代に、断定的すぎないタイトルを……と。すごくロジカルですね、アドバイスが。

宇佐美　笹尾さんの絵って、赤ばっかりじゃないですか。それも「最初から」ですよね。冷静に考えたら、とんでもないことだと思いませんか？　外資系広告代理店の副社長をやっていて、56歳でいきなり辞めて画家になり、その翌年にはBunkamuraで展覧会を開いている。それから25年以上毎年、一度も欠かさず続けているんです。

――「赤い絵の展覧会」を……ですよね。じつに四半世紀にわたって。しかも作品はほとんど売れちゃうんですもんね、毎回。

宇佐美　マーケティング的なロジックが、確実にベースにあると思います。誰に対してどんな絵が評価されるか、もっと言うと「売れるか」。専業の画家となれば「食っていかなきゃならない」ですからね。そして、その目的を達成するために、自分のクリエイティブにはどんな「強み」が必要か……。

――それが「赤」だった。まさしく「ブランド戦略」的な考え方を「ご自身のブランディング」にあてはめて考えていた……？

宇佐美　聞いたことはありませんが、ぼくはそう思います。そうでなければ、25年も続けられないです。笹尾さんがはじめて展覧会を開いた年の手帳に、ぼく、こんなことを書いてるんです。「すごい、こんなにたくさんの作品を、いつの間に描いていたんだろう？」って。画家になろうと決めた日から、あの人、戦略を変えていないんだと思う。こんなこと言ったら、笹尾さん、頭を撫でながら「ちがうよぉ」とかって言いそうだけど。

――画家としてやっていこう、「赤の画家になるんだ」と決めてから、そのための戦略を立てて、以来、それを変えていない……。

宇佐美　そう思います。

――笹尾さんが、どんどん恐ろしい人に思えてきました（笑）。ちなみに、レオ・バーネット協同時代の笹尾さんに「赤」のイメージはあったんですか？

宇佐美　ないですね。やっぱり、どこかの時点で「赤の画家」になろうと決めた瞬間があるんだと思います。

――ゴッホなんかにしたって、いろんな土地を流浪して、その土地の影響を受けつつ、だんだん「みんなの知ってるゴッホ」になっていくわけですけど……笹尾さんは、いきなり「赤」だった。

宇佐美　そのための準備をしていたんでしょう、人知れず。そして「いける」と思った時点で会社を辞めて、画家になった。そうとしか思えない。だって、最初の最初から「赤の画家」だったんだから。

――2023年7月11日 神保町にて

宇佐美清（うさみ きよし）

1950年、愛知県生まれ。早稲田大学政治経済学部経済学科を卒業。広告制作プロダクションAZ（エージー）から、1982年、博報堂第一制作室へ移籍。1993年、米国の広告代理店レオ・バーネット協同（当時）へ移籍。アカウントプランニングディレクター（ブランディングディレクター）になる。1999年、JWT（J・ウォルタートンプソン）JAPAN（当時）へ移り、KitKat、ニトリなどを担当。2007年、USAMIブランディング株式会社（UBC）を設立。2009年、郵送できるKitKat、「キットメール」でカンヌ国際広告祭メディア部門グランプリ（メディア・ライオン）受賞。2010〜2019年、早稲田大学の社会人になるための準備講座「問題解決の理論と実践・マーケティング&ブランディング講座」の講師（非常勤）を務める。

3

サンタみたいな、妖精みたいな。

柿畑江里
（キル フェ ボン）

――キル フェ ボンのお店には、笹尾さんの絵がかけられていますよね。素敵なコラボレーションだなあと思うんですが、そもそもどういうきっかけで、ああいうことになってるんですか。

柿畑　キル フェ ボンと笹尾さんのおつきあいは、もう26年くらいになります。わたしたちが静岡から出てきて、青山に東京1号店を出店し、関東に2号店をつくったときに、笹尾さんがお手紙をくださったんです。偶然キル フェ ボンを知ったのですが、すごく素敵だと思いました、もしよろしければ、お店にわたしの絵を置かせていただけませんかって。

――えっ、そうだったんですか。笹尾さんからのアプローチだった。

柿畑　そうなんです。キル フェ ボンって、内装デザインをはじめ、すべてをオリジナルでつくっていますから、なかなか、どなたかの絵を飾るのが難しいといいますか……しっくりこないケースも多いんです。それが、どんなに素敵な作品だったとしても。でも、笹尾さんの絵の写真を前にした創業者が「これは拝見してみたいね」と言ったんです。そこで後日、実際に作品を見せていただいて、お店に飾らせていただくことになったんです。

――マーク・ロスコという画家には、新しくオープンする高級レストランのための新作壁画を頼まれたのに、できあがったお店が自分の作品イメージと合わないという理由で引き渡しを拒否したという逸話があって。つまり絵を描く人って「自作が飾られる空間」に対してはすごく敏感だと思うんですが、じゃあ、キルフェボンのお店を見て、笹尾さん、「ぼくの絵が似合うはずだ」と。
柿畑　わたしも最初、不思議だなあと思ったんです。笹尾さんの絵って、赤や黒の色が強くて、見た目の印象も大胆な感じですよね。キルフェボンにはあまりそういった印象はないですし、むしろ「黒を使わない」というこだわりもあるんです。でも、飾ってみたら、なぜかすごく「合う」んです。どうしてだろう……って。
——たしかに。
柿畑　笹尾さんの絵には「笹尾さんの好きなもの」が、たくさんちりばめられていますよね。ぼんやり眺めていると、あったかくて、やさしい気持ちになります。そういうところが、キルフェボンの大事にしているものと共鳴し合うのかなあと、いまでは思っています。
——パッと見た目はそれぞれだけど、深いところで響き合っている。
柿畑　そんな気がします。
——柿畑さんは、キルフェボンができてすぐに入社されていますから、笹尾さんとのおつきあいも、じゃあ、かなりの長さってことですね。
柿畑　はい、これまで笹尾さんとコラボレーションしたときの窓口として、さまざまな対応をしたり、お会いしてお話しする機会もよくあったのですが……何だろう、そういうときより、何気ない会話のほうが記憶に残っています。笹尾さんのおっしゃることって、とってもシンプルで、押し付けがましくないんだけど、強い。ああ、そのとおりだなあって思えることが多いんです。

――そうですよね。

柿畑　だから、何だかもやもやしているときに、ちょっとお話しさせていただいて勝手にスッキリしたり……（笑）。ただ「かしこまって相談」というより「軽い近況報告」くらいなんです、いつも。でも、そこにある「もやもや」を察してくださるというのかな。わたしが、ぜんぶを言わなくっても。

――すごい。でも、わかります。その感じありますよね、笹尾さんって。千里眼じゃないけど、何でもお見通し……みたいなところ。

柿畑　仮に、それが仕事に関わることだったら「柿畑さんの立場とか、求められている役割がこうだから、きっとこんなふうにしたらいいんじゃないかな」とかって、やさしいんだけど、ズバッとアドバイスしてくださる。で、笹尾さんのおっしゃるように考え方を変えたら、たしかに、自分の気持ちが軽くなったりするんです。だから、年に数回ですけれど、笹尾さんに会えるとなると、その日が待ち遠しくなるんです。

――笹尾さんって、有形無形、いろんなものをくださいますよね。アドバイスやご意見もそうだし、いろんな人に膨大な量のお手紙や絵葉書を送っていますし。季節の折にとか、旅先からとか。

柿畑　わたしも、今回あらためて見てみたら、こーんなにありました（笑）。本当にたくさん、いただいていたんだなあって。パリから届いた絵葉書なんかも、旅の途中で思い出して書いてくれたのかなあなんて思うと、もう一回、うれしくなったりします。

――クリスマスの季節になると毎年、かわいいスノードームだったり、ちっちゃなツリーだったり、サンタとトナカイの置物だったりが、笹尾さんから届くんです。だから、うちの子どもは、笹尾さんのことをリアル・サンタクロースじゃないかと思っていたフシもあるんです。会ったことのないおじさまが、毎年、素敵なプレゼントをくれるから。

柿畑　そうなんですね（笑）。でも、ぴったりかも。キルフェボンの歴代の店長たちもかわいがってもらっていて、お手紙や絵葉書はもちろん、お店を辞めたあとに子どもが産まれた人にも絵を送ってくださったり。笹尾さんって「いったん好きになったら、ずっと好き」な人なんだな、そういうところが素敵だなあって思います。無償の好意をいただいている感じで、心があたたかくなります。こちらからも、無償の好意をお返ししたい気持ちになるんです。

――笹尾さんのファンも、ずっと笹尾さんのことが好きですよね。何枚も絵を持ってらっしゃる方も多いですし。「お互いに、長い」。そういえば先日、笹尾さんから「ベストヒットUSA」のTシャツが届いたんですよ。何の前触れもなく、いきなり。言うまでもなく、小林克也さんの長寿番組のTシャツなんですけど。

柿畑　はい。

――ただ、ぼくが不在中に届いたものを、うちの小3の娘が開けて着ちゃってたんです。勝手に。

しばらく「あいつ、なかなかいいTシャツ着てるなあ。どうしたんだろう」なんて思ってたら、笹尾さんからのプレゼントだったんです。

柿畑　へえー（笑）。

――あわててお礼のメールをしたら「では、娘さんへのプレゼントにします。とってもいい気分です」って。子どもは大よろこびなんですけど、いまだに「どうしてあのTシャツをくれたんだろう？」って、そこの部分が謎というか、よくわかってないんです（笑）。

柿畑　ふふふ、おもしろいですね（笑）。何か、ふとした折にポッと思い出してもらっているようで、気持ちがあたたかくなりますよね。

――笹尾さんから何かをもらった話ばっかりですが（笑）、笹尾さんがくださる「めっちゃかわいいスノードーム」があって。中にいろんな国のサンタさんが入ってるんですけど。

柿畑　あ、知ってます。

――ほんとですか。かわいいですよね、あれ。国によっては青い服を着ていたり、オレンジだったり、いろんなサンタさんがいて。で……あるときぼくの不注意で、会社の同僚が大切にしていたスノードームを割ってしまったことがあるんです。

柿畑　ええ。

――すぐに謝ってゆるしてはもらえたんですけど、せめてものお詫びのしるしに、あの笹尾さんのスノードームをプレゼントしたいなと思ったんです。でも、あのスノードーム、その事件以前にも、かわいいからネットで検索してたんですけど、うまく出てこなかったんです。サンタさんのスノードームはいくつもヒットするんだけど、「あの笹尾さんがくれるスノードーム」に、たどりつかない。

柿畑　そうなんですね。

——なので、不躾かとは思ったんですが、笹尾さんに連絡して「こうこうこういうわけなんですけど、どこで手に入るか教えていただけませんか」って聞いてみたんです。そしたら「ちょうど手元にひとつあるから、お送りしますよ」って、もう次の次の日くらいに届いたんです。

柿畑　わあ、素敵。笹尾さんらしい。

——いい大人にとってもサンタさんなんだと思いました。笹尾さんって。ほんと、助けてもらってるんです。折に触れて。

柿畑　わたし、ちょっと前に「すごい見える！」って評判の占い師さんのところへ行ったんですね。いろいろと聞いてもらったんですけど、その人の話しぶりが「こうです、こうです、こうじゃないです」って、言葉に迷いがないんです。こんなふうにハッキリ断言してもらえると、すごく安心するなって思ったんですが、ふと「あ、笹尾さんも、こういう感じの話し方をするよなあ」って。

——ああ、たしかに。

柿畑　ご自身の中に、確固たる考えとそこから導かれた答えとが、いつでもある……みたいな。それでいて「押し付けがましい感じ」はなくて、スーっと心に滲み入ってくる。

――サンタクロースでもあり、よく当たる占い師みたいでもあり……。

柿畑　ふふふ。ふだんの笹尾さんって、四六時中ずっと絵を描いているんでしょうけど、じつは、そっちのほうがピンとこないんです。絵を描いている笹尾さんの姿が、イメージできないというか。見たことがないから、なのかもしれないけど。

――そう言われてみれば、たしかに。ものすごく時間をかけて描いているはずなのに、その姿が想像できないですね。魔法かなんかでパッと作品を生み出しちゃいそうな感じ。

柿畑　そうなんです。だからわたしも、たまに笹尾さんのことを「妖精みたいだな」って思うことがあるんです。

――妖精！　たしかに！　フェアリー感ある！

柿畑　チャーミングなところや、ちょっと謎めいたところもふくめて、妖精みたいだなあと思ってます（笑）。

――あのスノードームも、妖精の魔法のステッキで出したのかも……。

柿畑　そうかもしれないですね（笑）。

――2023年7月13日　銀座にて

柿畑江里（かきはたえり）
静岡県生まれ。１９９４年、短大卒業と同時に「キル フェ ボン」に入社。東京１号店の青山店や京都店、銀座店などの初代店長を務め、その後、統括店長として新店の立ち上げや店舗の指導を行う。ブランドアドバイザーを経て、現在は営業企画管理本部の副本部長として、店舗運営、商品開発、イベント、広報ＰＲなどさまざまな企画にたずさわっている。

4

迷いを見せない、ノーと言わない。

井上嗣也（アートディレクター）

――笹尾さんによると、井上さんとの出会いは、パイオニアの「WAVE」という製品の広告のお仕事だったそうなんですが、覚えてらっしゃいますか？

井上　覚えてますよ。もちろん。

――いまと同じ、白いシャツに黒いズボン、片手に『アサヒ芸能』を丸めて持って現れた井上さんは、席へつくなり「お昼がまだなので」とピラフをぺろりとたいらげてしまった、その健啖家ぶりに、わけもなく感心した……と、井上さんとのはじめての出会いの場面を、笹尾さん、非常に克明に記憶されているようです。

井上　ぼくさ、当時、お昼を食べる習慣があんまりなかったと思うんだよね。何でそのときは食べたんだろう。

――それも「ピラフを、ぺろりと」（笑）。打ち合わせでは、井上さんがケニアでのロケを提案されたそうですが、後日、そのアイデアひとつを持ってクライアントのもとへ行き、2時間ちかくプレゼンをした。笹尾さんとコピーライターの西村佳也さんが代わる代わる説明をする間、井上さんは一言も発しなかった。最後の最後、クライアントが井上さんへ、今回のキャンペーンをどう思いますか……と意見を求めたんだそうです。

井上　うん。何て言ってた、ぼく？

――一言「美しいです」とだけ。その5文字で、プレゼンは無事に終了した……んだと、笹尾さんは言ってました。

井上　ああ、そうだったかなあ。覚えてません（笑）。そのパイオニアのロケのケニアがさ、ものすごく暑くてね。

――ええ。

井上　日陰がなかったんだ、あたり一面まったくの「フラット」で。もうね、なーんにもないんだから。トラックを一台用意してたんだけど、あちーあちーって言いながら、その下に潜り込んで、太陽の光を避けるようにして。

――井上さんのビジュアルは、広告代理店のADにはとうてい思いつかないものだった、とも。

井上　地平線に憧れていたのかな。そのときはね。何にもない風景にぴゃーっと走る、一本の地平線にね。

――素敵です。「地平線に憧れる」って。

井上　撮影が終わったとき、その地平線の彼方に「黒いもの」が見えたんです。というのはね、そのあたりって、一面、白っぽいパウダー状の大地だったの。もう見渡す限り「永遠」に。視界を遮るものは、何にもない。そんなところに、ポツンと「黒いもの」があったから「何だろう?」って。ずいぶん遠くだったんだけど、てくてく歩いて見に行ったらね、何と「隕石」だったんですよ。

――えーっ！

井上　いまでも、宝物。

――おおー、宇宙から飛んできた宝物。

井上　あれさ、あのあたりが「緑の草原」とかだったら、絶対わかんなかったと思うんだよね。見渡す限り白っぽいパウダー状の大地だったから、遠くからでも気がついたんだ。それはね、いまでもぼくの宝物なの。いちばんの宝物です。

――笹尾さんとのお仕事で、人生でいちばんの宝物を見つけたんですね。当時の井上さんはコム・デ・ギャルソンなどの広告を手がける売れっ子ADで、笹尾さんは外資系広告代理店のクリエイティブディレクターだったわけですが、広告人としての笹尾さんって、どういう方でしたか？

井上　決断が早かったね。とにかく。ぼくらスタッフに対して「迷い」を見せなかった。クリエイティブにおける迷いをね。結果として、ぼくは、自分の持ち場であるアートディレクションに専念することができた。だから、仕事がやりやすかった、とても。

――笹尾さんって、自分にとっては、まずは「物腰が柔らかくて、やさしいイメージ」なんです。折に触れて、いろいろ素敵なものをくださる人でもあります。でも、仕事の面での「厳しさ」も、じつはすごく……。

井上　それは、ある。あるよね。穏やかだけど、意外と男っぽいところもあるしさ。決断が早い、迷いを見せないというのもそうだけど、ぼくは、クリエイティブディレクターとしての笹尾さんの「ノー」を聞いたことがないんです。

——あ、「ダメ」とは言わない？

井上　うん。言わない。ぼくはね、「ノー」という言葉は、好きではないんです。「ノー」と言う人とは、あんまり仕事をしたくないくらい。つまりね、仮にそのアイデアが「ノー」だったとしても、「こうしたらどうですか」とか「もっといいアイデアがあるよ」とか、そんなふうに言ったほうが、よっぽどいいじゃない。

——なるほど、そういう意味ですか。

井上　やっぱり「ノー」はダメですよ。で、笹尾さんは、そういう意味での「ノー」を言わないクリエイティブディレクターだった。「ダメだな」と思っても「ノー」とは言わず、別の表現でなんとなーく自分のやりたい方向へ誘導していくっていうのかな。何か、知らないうちにちがう感じへ持っていっちゃう才能のある人なんだよね（笑）。

——なるほど。

井上　あと、けっこう「笑う人」かな。

——笑う。

井上　うん、意外に笑うんだよね。ぼくと笹尾さんの「ちがい」がおもしろいのかなあ。けっこう笑うんだ、こっちの言動を見たりしてさ。もしかしたら、呆れかえっているのかもしれないけど。

――井上さんのことは、非常に尊敬しているというトーンでお話ししますよ。笹尾さん、いつも。

井上　いやいや、とんでもないですよ。でも、なぜだかぼくには「笹尾さんって、意外に笑う人」という印象があります。

――長く広告の分野でご一緒していたわけですが、あるとき急に辞めてしまうじゃないですか、笹尾さん。しかも「画家になる」と言って。そのときは、どう思われましたか？

井上　辞めたことに関しては「なるほどな」と思ったけど、「絵を描いてる」っていうのには、やっぱりびっくりしたよね。しかも、それから四半世紀も続けているわけでしょ。気まぐれで1回2回とかじゃなく。それは、本当にすごいことだと思う。ほぼ毎年、個展を観に行ってるんだけど、あの「持続するエネルギー」ね。笹尾さんって「激しい人」じゃないとは思うけど、内に秘めているものが、とんでもなく強いんだと思います。

――絵を描きそうな雰囲気や前兆って、ありましたか？

井上　ぼくは感じてなかったな。ただ、ササッと何かを描くときは、うまかったと思う。あと「赤」ということで言えばね、もうずいぶん昔なんだけど、笹尾さんが「赤いシャツ」をくれたんだよ。

――井上さんに？　赤いシャツを⁉

井上　そう、急に。「これ、あげます」って。ぼくのワードローブの中で、唯一の赤いシャツですよ。いつもほら、こういう白いシャツしか着てないから。その赤いシャツは、笹尾さんがすごく気に入ってたらしいんだ。それを、あるときぼくにくれたの。もうだいぶヨレヨレになっちゃったんだけど、いまだに着てます。うちでは。

――おお、ご自宅には「赤い井上嗣也さん」がいらっしゃるんですね。笹尾さんプロデュースの(笑)。

井上 真っ赤な長袖のシャツです。笹尾さんの絵と同じような赤でね。ネルっぽいのかな、ソフトなタッチの、着心地のいいやつです。

――毎年、笹尾さんの展覧会に行っているとおっしゃってましたが、そのときは、どういったお話をされるんですか?

井上 うん、ほぼかならず、決まった5人で一緒に行くんです。で、そのあとに、食事とお酒。1年に1回、笹尾さんを含めて、6人でね。みんな楽しみにしている定例の会なんです。有名なクリエイティブディレクターも来るし、地方に引っ越しちゃった人も来るし。同窓会みたいな場になってるんです、笹尾さんの展覧会って。

――笹尾さんは、40代後半くらいのときに「やっぱり自分のやりたい仕事は広告じゃない、中学生のころの夢だった絵描きなんだ」って思ったそうなんです。で、そのきっかけをくれたひとりが、井上さんだって言ってました。

井上 そうなの。どういうこと?

――井上さんの、写真への子どものような好奇心、神保町の古本屋で雑誌や本をダンボールいっぱいに買って隅から隅まで見ている姿、アートディレクションへの飽くなき探究心、素晴らしい作品を次々に送り出しているエネルギー……などなどに圧倒されて、触発されて、「自分も好きなことをして生きていきたい、生きていこう」と決心したそうです。井上さんご本人に、伝えたことはないかもしれませんが。

井上 聞いたことないなあ。そうなんだ。いまは笹尾さんだって、ずっと描いてるんだろうけど。

――たしか午前中は2階のアトリエで絵の制作をして、お昼になると階下へ降りてきて奥さまとトランプ勝負、で、負けたほうがお昼ごはんをつくる……みたいな毎日のようです。お聞きしていると。

井上 仲がいいもんね、ご夫婦。

――そうなんですね、やっぱり。

井上 ずいぶん昔のことだけど、笹尾さんが事務所へ来たときに、そのへんに置いてあった全集を指して「これ、どうしたの?」って聞くんですよ。箱に入った立派な本だったんだけど、「買ったんです」って言ったの。それ、勝見勝《まさる》さんの本だったんだけど……名前、聞いたことある?

――ええと、前の前の東京オリンピックの……。

井上 そうそう、1964年の東京オリンピックのプロデューサーで、グラフィックまわりを統括されていた方です。でね、その勝見さんの娘さんが笹尾さんの奥さんだったんだって。笹尾さんがそのとき「この人は、自分のカミさんの……」って教えてくれて。

――そんな偶然が。

井上　またあるとき、ぼく、岡本信治郎ってアーティストが好きで、雑誌か何かの切り抜きをポンと置いといたら、また「これ、どうしたの？」って聞くんだよ。ぼく、この人好きなんだって言ったら、その昔、笹尾さんの奥さんの隣の机で仕事をしてた人なんだって。なんかね、すごいリンクしちゃうの。笹尾さんの奥さんと。わけわかんないでしょ？　話通じた？

――はい、通じました（笑）。そして、不思議なご縁ですね。

井上　それでね、さらに話が飛ぶんだけど、知り合いの広告代理店のクリエイティブディレクターがバーを開いたんです。仕事のオマケで。お酒を飲むバーね。で、あるとき、その店へ行ってみたらさ、笹尾さんの絵がかかってるわけ。あ、いいなあなんて思って眺めてたら、絵の中に描かれている本の「背」にね。

――ええ。

井上　ぼくの名前が書いてあるの。

――おお、笹尾さん、絵の中によく本を描き入れますけど、その中の一冊が「井上嗣也さんの本」だったってことですか！　それってつまり、実在する本ではなくて……。

井上　そう。架空の本。絵の中に描かれている本の背に、ぼくの名前が書いてあるの。そんなこと、ぼく、知らなかったんだよ。笹尾さんが、そんな絵を描いてたってこと。そのバーに行って、はじめて知ったんだから。

――笹尾さん、何も言わないんですか？

井上　言わない、何にも。だからぼくがそのバーに行かなきゃ、ずっと知らないいまんまだよ。

――えーっと、その後も、その話はしてないんですか？

井上　してない。

――不思議だなあ（笑）。

井上　不思議だよねえ。不思議に明るい人なんですよ。笹尾さんって人は。いまだに。

――2023年7月13日　麻布台にて

井上嗣也（いのうえ つぐや）
アートディレクター、グラフィックデザイナー。広告、音楽、出版、TVなどのアートディレクション、写真とタイポグラフィの斬新なデザインワークでジャンルを横断した仕事を続けている。出版物に井上嗣也作品集『GRAPHIC WORKS 1981-2007』、『GRAPHICS TALKING THE DRAGON』、『THE BURNING HEAVEN』（すべてリトルモア）。

5

健さんから花が2回届く人。

松本紀子
（ドワーフ プロデューサー）

松本　わたしの「いちばんの笹尾さんの思い出」って、「笹尾さんに出会う前の話」なんです。ヘンだけど。

――どういうことですか？

松本　ティー・ワイ・オーという会社でCM制作の仕事をしていたとき、わたしの上司が笹尾さんと仕事をしてたんですね。たぶん、笹尾さんがレオ・バーネット協同のえらいCDだった時代だと思うんですけど。

――最後は「副社長」だったんですよね。

松本　そうそう、そのときはフィリップモリスの「MERIT」ってタバコの仕事だったのかな、企画がスタートしたとき、その上司が……あのですね、広告業界ってようするに「クライアントがいて、代理店がいて、現場の制作会社がいて」という構造じゃないですか。

――つまり「受発注」の関係。

松本　そう。わたしたち制作会社、現場の人間というのは、どことなく、クライアントの意向を承っている代理店さんから「仕事をいただいている」という意識があるんです。というか、実際に受注しているわけですから、事実そのとおりなんです。言ってみれば「出入りのベンダーである」状態なので、代理店は「お客さん」だと考えがちだったりするんですね。

――はい。

松本　でも、その広告会社のえらい人・笹尾さんは、うちのMERITチームのリーダーである上司に「ぼくたちは対等なパートナーだから」って言ったんですって。

――パートナー。それも、対等な。

松本　もう何十年も前の話で、しかも当時の広告業界って「イケイケドンドン」だったでしょ。いまでこそ、こういう落ち着いた、紳士的な発言ってめずらしくないかもしれませんが、そうでない時代に、代理店の副社長に「ぼくたちは対等なパートナーだから」って言われたことが、上司、すっごくうれしかったみたいで。わたしのところへ来るなり「ノリ、俺たちは対等なパートナーなんだって言われたぞ！」って、もうね、本当にうれしそうに。

――そう言ったのが、まだ見ぬ「笹尾光彦さん」だった。

松本　そうなんです。それが、わたしの「笹尾さん」の最初の思い出。自分が仕事を発注している先の相手も「みんな対等なパートナーなんだよ」って、当時は「なんて素敵な考えなんだろう」と思ってました。どこまでもフェアで、立場や肩書に関わらず「人を大事にする」考え方じゃないですか。

――本当ですね。いまの笹尾さんと、まったく同じです。

松本　実際、お仕事をご一緒してみると、笹尾さんって現場にガンガン突っ込んでくるタイプじゃない。撮影現場に来ないことも多いし、来ても一歩引いたところから見ていて、あるていど現場のスタッフに任せてくれるんです。そういうスタイルもまた、新鮮でした。

――つまり、めずらしかったってことですか。そういうやり方。

松本　あんまりいなかったんじゃないかなあ、少なくとも当時は。

――ぼくは「画家の笹尾さん」といくつかプロジェクトをやったことがあるんです。そのときも笹尾さん、同じことを言ってました。「ひとつのチームで、対等にやりましょう」って。はじめてお会いしたとき、自分は40歳くらいで、笹尾さんは80歳に近かったと思うんです。しかも有名な画家だったわけで、そんな大先輩みたいな人に「対等にやろうよ」なんて。

松本　ぜんぜん別の業界から来た人だったら、わからなくもないじゃないですか。でも、笹尾さんって、レオ・バーネット協同の前はマッキャンエリクソン博報堂でしょう。わたしたちとちがうカルチャーで育った人ではないわけです。なのに、そういう考え方ができる。最初は「外資って、こういう文化なのかな？」とも思ったんです。でも、他の外資の人を見ても、かならずしも笹尾さんっぽくはなかった。でも、そのあとに仕事をした「笹尾チルドレン」みたいな人たちは、みーんな笹尾さんっぽかった。

――おお。

松本　物腰は柔らかいんだけど、本質的なことを話せる。対等にね。だから「遠慮して言わない」みたいなこともない。といっても、いいかげんなことは絶対に言えない。「対等なパートナーだから」って言葉は、現場のわたしたちを、いっそう「ちゃんとしなきゃ」って気持ちにさせるんです。

――責任感やモチベーションを高めてくれる言葉でもある。なるほど。笹尾さんの薫陶を受けた人たちが「笹尾さんっぽかった」っていうのも、つまりはそういう「種」を、笹尾さんは撒いていたってことですね。

松本　わたしがご一緒した仕事では、笹尾さんがクリエイティブディレクターで、現場は別の若い担当者に任せることも多かったんです。でも、そんなときでも「笹尾さんを感じる」んですよ。笹尾さんイズム、笹尾さんのスタイルみたいなものが、ちゃーんと現場に貫かれているんです。

――その、若い担当者さんを通じて。すごいなあ。

松本　それで、みーんな笹尾さんのことが大好き。いないのに。あと、笹尾さんと言えば「高倉健さん」なんですけどね。

――ええ、タバコのCMをつくってたんですよね。「SPEAK LARK」、ぼくの世代の人でもよく覚えていると思います。当時を知るみなさんの話を聞くと、笹尾さんって、すごく好かれてたみたいですね。高倉さんに。

松本　そう。でね、いま話しながら思い出したんですが、その高倉さんの現場にもいらっしゃってなかったんだそうです、笹尾さんって人は。

――おお、「高倉健」はいても「笹尾光彦」はいない！（笑）

松本　でも、笹尾さんの存在はちゃんと感じる。監督をはじめとした現場のスタッフ、そして若いクリエイティブディレクターやアートディレクターに任せてるんですけど、その勇気もなかなか持てないです。いろんな意味で行きたくなっちゃいますよ、ふつう。高倉健さんが来てたら。でも、そこはグッとこらえて「信じて任せた」んでしょうね。海外ロケでも、笹尾さんは行かない。でも、高倉健さんとのエンゲージメントは、めっちゃ強い。

――仕事の仲間や相手を信頼して任せる、それって、いまの笹尾さんにも感じます。つねに「ここから先は、あなたの仕事だよ」って言われている気がするんです。

松本　そうなんですよ。「どう思う？」ってちゃんと聞いてもらえるというか、「そこは松本さんが判断してね」って。「渡されている感じ」がするんです。「現場を見ているのは、松本さんだよね」「どんなところへたどりついたらいいか、想像できてる？」「本当にこれでいいと思っているんだね。じゃあ、そうしようか」……みたいな。

――理想的なリーダーって感じだなあ。

松本　そんなふうにして「精度の高い判断」を鍛えられた気がします、笹尾さんに。結果として、笹尾さんとの仕事は「クオリティが上がっちゃう」んです。監督でもプロデューサーでも、笹尾さんとの仕事は「自分の作品集に入れたくなっちゃう」ものになる。

――押し付けない。仲間を信用して、任せる。そして、その場にいない。

松本　そうそう（笑）、わたしも、ごはんを食べたこと……いちどもないんじゃないかなあ。Bunkamuraの喫茶店でお茶したことがあるくらいです。広告時代の同僚3人で笹尾さんの展覧会へ集まって、そのあとごはんを食べに行くんですけど、そこに笹尾さんはいない。でも、何やかや笹尾さんの話をしてる（笑）。

——その場にいないのに、みんなが笹尾さんのことが好きって、何なんですかね？

松本　ほんとに。一緒に泣いたり笑ったりした思い出なんか、ひとつもないんです。なのに「ああ、あの仕事は笹尾さんだったなあ。いなかったけど」って。笹尾さんの顔が思い浮かぶんです。何なら一緒にいたような感じさえする。ずるいんですよ！（笑）

——ふふふ（笑）。そんな笹尾さんが急に広告を辞めて画家になったときには、どう思われましたか？

松本　いやあ、びっくりしましたよ。いつ描いてたんだろうって思ったし、絵そのものも、とっても楽しい絵で……すいません、語彙力が貧弱で（笑）。

——いえいえ（笑）。

松本　広告代理店時代の笹尾さんって、すごいインテリなんです、わたしの中では。頭の回転がキレッキレなのに加えて、「個々の担当者を信じて任せる」スタイルだから、マネジメントに一切のムダがない。もうね、パーフェクトな人だった。それなのに、画家になった笹尾さんが描く絵には……また語彙力が貧弱ですみませんが「パリの無駄なもの」がたくさん描いてあるでしょう？　ごめんなさい！

――いや、わかります。いい意味で、ですよね（笑）。

松本　うん。だから、わたしには、広告時代の笹尾さんのイメージからは、かけ離れた絵に思えました。もっと、何だろう……限界まで色を抑えた絵を描きそうな感じだったのに、あんなねえ、真っ赤な、心から楽しい絵がたーくさん、かかっていて。「あれ？　笹尾さんの頭の中には、こーんなにもたくさんの色があったんだ」って。

――なるほど。

松本　あと、笹尾さんの絵って「みんなが買える」じゃないですか。明るくて楽しいからみんなに好かれるというだけじゃなく、お値段的にも。わたしも持ってますし、友だちも持ってます。これ、広告をやっていたことと関係があると思うんですけど、「どうしたら人はよろこんでくれるだろう」って、いつも考えて球を投げる方なんですよね。絵を描くときも、きっと同じだと思います。「俺の魂の表現を見やがれ！」じゃなくて、見ている人を明るく楽しい気持ちにしてくれる、おうちに連れて帰りたいって気持ちにしてくれる絵だと思います。

――ご自身の作家性は揺るぎないものとしてあるんだけど、そこに「見た人がどう受け止めるか」が、きちんと練り込まれてるってことですね。わかります。じゃあ、いまのおつきあいのメインは、毎年の展覧会ですか。

松本　そうですね。お会いするのは年に一回です。その間に、お手紙や年賀状、暑中見舞いをやり取りしていますけど。で、展覧会には、かつての広告時代の同僚3人で、かならず。

――笹尾さんの展覧会が同窓会みたいになる人たちって、けっこういるみたいですね。井上嗣也さんもそうでした。

松本　あ、そうそう、笹尾さんの展覧会といえば、高倉健さんからのお花が、いつも初日に届いてたんですよ。で、会期の途中でかならず、新しいものに変わるんです。

――へええ！

松本　ちょっと元気がなくなってきたかなあってころに、新しいお花が届くんです。だから、高倉さんのお花は、展覧会の最初から最後まで、つねにフレッシュ。わたしたちは会期の真ん中くらいに持ってって、「いま、みずみずしいのはわたしたちの花と高倉健さんの花だけだね！」みたいなことを言うダメな女たちなんですけど（笑）。

――健さん……カッコいい……。少し前のフレーズで言うと「惚れてまうやろ」ですね、それは。お会いしたこともないのに。

松本　そうでしょう？　そんな健さんに愛されていたのが、笹尾さんですよ。だから、わたしの中の笹尾さんは「高倉健さんから2回、花が届く人」でもあります（笑）。

――2023年7月18日　東村山市にて

松本紀子（まつもと のりこ）

ドワーフ（Field Management Expand）プロデューサー。CMプロデューサーとしてキャリアをスタート。1998年の「どーもくん」、2003年「絵コンテの宇宙」展での「こまねこ」誕生が転機となり、活動のフィールドをアニメーション・キャラクターに広げる。2003年ドワーフの立ち上げに参加し、2006年に完全移籍。ドワーフの得意とするコマ撮りとキャラクターを武器に海外にも活動のフィールドを広げ、いちはやく配信プラットフォームとも仕事を始めた。Netflixではシリーズ『リラックマとカオルさん』（2019年）、『リラックマと遊園地』（2022年）がリリースされ好評を博し、いまも新しいシリーズや映画企画に取り組んでいる。コマ撮りやキャラクターを起点にしながら、おもしろい作品、新しい映像表現を、ドワーフだけでなくいろいろな才能との協業で開発することにも積極的に取り組む。2023年、圧倒的なアクションのコマ撮り作品『HIDARI』が話題に。パイロットフィルムながら、クラウドファンディングの成功から劇場公開を果たすなどユニークな展開を見せている。

6

「赤の力」に背中を押されて。

和田浩子（マーケター・コンサルタント）

和田　わたしがマーケティングの本を出したとき、ま、出したくなかったんだけど、笹尾さんが「出しなさい、出しなさい」って、ずーっと言うんです。だから出せたんですけど、原稿ができたときに「じゃあ、ぼくが絵を描くよ」って。各章のトビラにサクサクと描いてくださったんです、ドローイングで。笹尾さんとわたしって考え方が似てるから、ぜんぜん違和感がなかった。

――それは、笹尾さんが画家になったあとのお話ですか？

和田　そうです。おつきあい自体は、いつからはじまったのか思い出そうとしたんだけど、もうね、歴史が長すぎて（笑）。笹尾さんが広告代理店のクリエイティブのトップの手前くらいのころから知ってはいるんだけど。わたしはヘアケアの事業部のマーケティングディレクターでした。そのとき一緒にお仕事をしたのが、最初かな。当時から趣味で絵を描いていて、たまに個展をなさっていたんです。

――あ、そうなんですか？　それは知りませんでした。会社員の時代から、個展をやっていたんですか。へぇ……え、当時から「赤かった」んですか？

和田　ええ、赤い絵でしたよ。「赤い絵の具が高いんだよ」って言いながら、赤い絵の具をふんだんに使って描いてました。たぶん、お仕事の合間に描きためたものを、２〜３年に一度、百貨店の中にある画廊に展示してたんだと思う。ちゃんと販売もしてました。

——そういう時代があったんですか……初耳です。

和田　もうね、見たとたんに惹きつけられました。はじめて手に入れた笹尾さんの絵は、いまベッドルームにかけているんです。１９９２年くらいの作品かな。会社勤めだったころは、自分のオフィスに飾っていました。

——92年というと、たしかにまだ画家になる前ですね。どういう絵なんですか、その「最初に手に入れた絵」というのは。

和田　窓の外の景色を描いた絵です。当時、笹尾さんが八ヶ岳に持っていた別荘の窓から見える風景を、そのまま絵にしたみたい。額にまで描き込んでいるから、まるで額がないように見える。へえ、おもしろいなあって思いました。あと、真っ赤なバラのモチーフで、額縁も真っ赤なシリーズ、いまもありますよね。

——はい。「ROSES」ですかね。

和田　あのシリーズの絵を、一緒に買った気がします。で、そのあとはもう次から次へと……たくさんありすぎて「もう買わなくていいから」って言われてる（笑）。

——ははは、作家本人から「もう買わなくていい」通告（笑）。そんなにあるんですか。

和田　うちにある絵は笹尾さんが９割。ぜんぶで40点くらいはあるのかな。

——40点！「ちいさな笹尾光彦美術館」ができそうですね。

和田　絵はもともと好きなんだけど、笹尾さんの絵って元気になれるじゃないですか。だから、家の中のそこらじゅう、視線が行くところにはかならず笹尾さんの絵を飾っているんです。ほんと、笹尾ギャラリーの中に住んでいるような感じ。笹尾さんが、生涯で一度だけつくった「金屏風」まで持ってます（笑）。

――金屏風!?

和田　そう、6つに折りたたむことができる、高さ1メートル80センチくらいの金屏風。そうとう大きなものです。金箔が全面に貼ってあるんだけど、その上に油絵が描かれていて。

――それ、何の絵なんですか？

和田　池坊の宗家とコラボしたときの作品なので「いけばな」ですね。もう15年くらい前の作品です。笹尾さんと雑談しているときに「次は屏風でもつくったら？」なんて言ったんですよ。その場では「いいね！」とかって言ってただけなんだけど、本当につくるとは思わなかった（笑）。しかもただの屏風じゃなくて「金」ですからね。そのときわたし「つくったら買いますから」って言ったみたいなんです。覚えてないんだけど。しばらくしたら、笹尾さんから「できたよ」って連絡が来て。「できた？　何がですか？」って聞いたら、こーんなにでっかい金の屏風が（笑）。

――すごそう（笑）。

和田　展覧会の会場でも、いちばん目立ってました。大きくて、キンキラキンで。あの年のフラッグシップ的な作品でしたね。ある有名なミュージシャンにほしいって言われたそうなんですが「売約済なのでとお断りしたんです」って。それで、わたしのところへ来た。まあ、お高い買い物でした（笑）。たまにメディアでインタビューを受けるときとか、バックに置いたりしています。

――すごい、ご自宅で「金屏風会見」ができる（笑）。笹尾さんって、ちょっとした一言や口約束を覚えていて、きちんと実行してくれるようなところがありますよね。金屏風くらいになると「ちょっとした約束」ではないかもしれませんが……。

和田　リビングに金屏風がボンと置いてあるんで、うちに来た人みんなびっくりします。

――ふふふ（笑）。ちなみに広告をやっていた時代の笹尾さんって、クライアント側の和田さんからは、どんなふうに見えていましたか？

和田　わたしはクリエイターじゃないけど、ずっとマーケティングをやってきた身として、その視点からのクリエイティブは、わかるんです。というか、マーケターはクリエイティブがわからないと、最終的にマーケティングできない。クリエイトする能力はないけど、クリエイションの良し悪しは、わからなきゃダメなんです。

――ええ。

和田　ビジネスとして成立させなきゃならないのに「好きなことしました」みたいなのんきで野放図な広告クリエイティブが、世の中ゴマンとあるんです。こっちとしても、ビジネスの戦略に合わないのに、クリエイターが好きにつくったものを盲目的にありがたがるなんてバカバカしいわけ。すべての広告クリエイティブは、個々のビジネス戦略に合ってないとダメなんです。

――なるほど。

和田　その点、笹尾さんは「のんきで野放図なクリエイティブではなく、どこへもランディングしない」ってわかっているクリエイティブでした。わたしたちが要求するものを理解して、咀嚼して、「わかりました。では、こういうのはどうでしょう」って提案してくる。戦略的で分析的な思考能力を、しっかり持ってらっしゃる。そのうえでのクリエイティブ、なんです。だからこそ、とりわけ厳しい外資系でも結果を残して、副社長にまで上り詰めたんでしょうね。わたしのキャリアの中でも、そういうクリエイターは、ほんの数人しかいません。

――その中のひとりが、笹尾さん。

和田　そう。

――みなさんのお話を聞いていると、自分の知っている笹尾さんのイメージが、どんどん変化していきます。思ってもみなかった方向へ。

和田　抜き身の刀でにらみ合ってる、みたいな感じだったから。笹尾さんとの仕事は。

――ひゃあ。真剣勝負。

和田　プレゼンには、案をいくつも出してくるのが通常ですよね。でも「ぜんぶダメ！」ってこともある。そんなとき、笹尾さんは「何が足らなかったのか」について徹底的に話し合って「わかりました」と言って帰っていく。そして後日、別の案を持ってくる。きっと下の人はブーブー言ってるんでしょうけど、こっちだって死にものぐるいだから。わたしはP&Gにいたんですが、「アリエール」でも「ウィスパー」でも「ヴィダルサスーン」でも、最初はまったく無名のブランドなわけです。それを大きく育てていかなきゃならないんです。そりゃあ必死ですよ。ダメならダメと、容赦なく言います。

――みんな、それまで使っていた洗剤があるわけで、それを「アリエールに変えてください」って……並大抵のことじゃないですよね。

和田　しかも「日用雑貨」なわけだから、使い終わったらまた買ってもらわなきゃならない。一回、買ってもらって「よかったね、終わり」じゃないんです。

――そんなヒリヒリした場所にいた人なんだ……笹尾さんって。具体的なエピソードをうかがうと、あらためてびっくりします。

和田　詳しくは知らないけど、きっと素晴らしい部下も、たくさん育てられたんだと思いますよ。外資系って「下の人間を育てる」という仕事がマストだから。それが、自分の評価にも関わってくる。たとえば、わたしがいたころのP&Gでは、営業成績と人材育成が「50点、50点」だったんです。つまり、どんなに営業成績がよくても、まったく部下を育てなかったら「50点」しか取れないんです。

――営業成績は振るわず10点だけど、部下の育成については50点取っている人に負けちゃう。

和田　できうることなら、わたし自身が育ったスピードよりも早く部下が育つ仕組みを考えなきゃならない。人材の育成って、それくらい重要な仕事なんです。

――笹尾さんに言われて本を書いたという人を、何人か知っているんです。和田さんも、そのおひとりだということですが。

和田　ええ。

――自分もそうなんです。つまり、この本がまさしくそれで。時間はないけどきっとできるから、やってみてよ……って。そういう「育てる視点」というのか、誰かを信頼して何かを手渡すようなところが、笹尾さんにはありますよね。

和田　そうですね。わたしにも、いつもアドバイスをくださいます。P＆Gにいたころからです。ふたりでお食事することもあるんですが、いつでもエンカレッジしてくれる。わたし、48歳のときにP＆Gをリタイアしたんですね。副社長になって、もういいかって。で、「もう一生、仕事はしない」と決めたんだけど、半年くらいしたら、もう、退屈で退屈で。刺激のない毎日の連続に飽き飽き、辟易しちゃって。

――そうですか。そういうものですか。

和田　それで、仕事に復帰したんです。笹尾さんに「辞める」って言ったときも「ああ、いいんじゃない」と言ってくれたんだけど、仕事に復帰すると伝えたら「それは、もっといいと思う。仕事が好きなんだから、もっともっとやったほうがいい」って背中を押してくれました。わたしのキャリアの節目節目でアドバイスをくれたのは、笹尾さんなんです。

——日本を代表するマーケターに、節目のアドバイスをしていた……。でも、そうやって気持ちよく背中を押してくれる一方で「こうじゃない」と思うことには、かたくなに「ちがう」とおっしゃいますよね。譲らない。信じるところを、貫き通す人。

和田　最終目的地が見えているんですよ。そういう人なんだと思う。その最終目的地へ向かって、みんなの先頭に立って船を走らせている。それができるのは、飛び抜けた戦略的能力がある証拠。この丸い地球の、どっちへ針路をとったら、いちばん早くアメリカに着くのか？　必ずしも「一直線」が答えじゃないことだってありますよね。

——ええ。

和田　一見、遠回りに見えても、他の乗組員たちが「ほんとに着くのかなあ？」なんて思ってても、自らの信じた針路でみんなを目的地へ連れていく。そういうリーダーだったんだと思います。かつての、広告時代の笹尾さんって。

——2023年7月19日　神保町にて

和田浩子（わだ ひろこ）
Office WaDa代表。島津製作所社外取締役、コカ・コーラボトラーズジャパンホールディングス社外取締役。日本人初の米プロクター・アンド・ギャンブル社（本社）のヴァイス・プレジデント、コーポレートニューベンチャー・アジア担当。P&G Japanに在職中「ウイスパー」を日本市場でトップブランドに育て、「パンテーン」「ヴィダルサスーン」を含むヘアケア事業部を成功へ導き、「パンパース」の立て直しなどを手がけた。同時に多国籍メンバーとの協働の中で、人材育成制度・組織、マーケティングの仕組みづくりを主導した。のち、ダイソン日本支社代表取締役、日本トイザらス代表取締役社長兼最高業務執行責任者（ＣＯＯ）。２００４年10月、米経済誌『フォーチュン』のパワフルビジネスウーマン50傑に選ばれる。現在はOffice WaDa代表としてコンサルティング、また社外取締役として経営トップへ提言をする。

rois! Un, deux, trois! Un, deux, trois! Un, d

腕っぷしの強い、笹尾ちゃん。

立木義浩（写真家）

7

立木　Bunkamuraみたいなところで、あんなに長いこと展覧会をやり続けるって、なかなかできることじゃないよね。

――本当に。昨年まで連続25年間、じつに四半世紀にわたって。

立木　営業力がすごいのかさ、人柄がいいのかさ、逆に人柄が悪くてBunkamuraをだましてるのかさ（笑）、よくわかんないんだけど。しゃべってても、居丈高にパワーを振りかざすようなタイプじゃないじゃない。

――むしろ真逆ですよね。誰にでも公平で、やさしくて、柔らかくて。笹尾さんとの出会いのことは、覚えてらっしゃいますか？

立木　知り合ったのは、彼がマッキャンエリクソン博報堂にいたころだろうね。いろんな仕事で、いろんなところへ一緒に行ったと思うんだけど……シャンソン化粧品だったかなあ、最初は。それ以外の仕事は、ちょっとよく覚えてない（笑）。

――笹尾さんといえば「パリ」ですが、ご本人によると、はじめてパリに行ったのが、立木さんとのお仕事だったそうです。立木さんは、ぼくにパリを教えてくれた先生なんだ……って。

立木　そんな大げさなもんじゃないよ。広告や雑誌の仕事で、カメラマンが外国へ行けるようになるとさ、どうやったって「女性の憧れ、花の都パリ」って話になるんだよ。ましてや「化粧品」でしょ。だから当時はことあるごとに行ってたのよ、パリ。もう「あっちでもパリ、こっちでもパリ」みたいなことになってたんだよね。

——そのうちの何度かを、じゃあ、笹尾さんと一緒に。

立木　たぶんね。ただ、どんな写真を撮ったのかも記憶にないんだよね。とにかく、俺がはじめてパリへ行ったのは、60年代のことです。

——海外旅行が自由化されてすぐ、くらいですね。

立木　たしか、71年に加賀まりこさんを撮ってるんだけど……。

——あ、写真集！　ですよね？『私生活 加賀まりこ』。

立木　あれよりずいぶん前だからね。はじめてパリへ行ったのは。

——日本人が、まだそんなに海外へ行ってないころですよね、きっと。

立木　最初のうちは、たしかに、あんまり日本人には会わなかったね。でも、すぐにこぞって行きはじめて……たしか「ジャルパック」って、もう60年代にはじまってるんじゃないかな。よく日本人の「団体さん」を見かけてたし。ローマでは「大阪ナンバーのバス」が3台、停まってた。

——大阪？

立木　そう。ローマに、大阪ナンバーのバスが3台、停まってたの。どうやって持ってったのかなあ、知らないけど。「あ、日本、つえー」と思った記憶がある。とにかく、俺たちの先輩で秋山庄太郎さんっているけど、あの人「40代になったら、日本にいても仕事はないな」と思ったらしいんだよ。それで、まったく別の空気を吸おうとパリへ出ていった。そのころから、画家もカメラマンもデザイナーも「壁」にぶつかると、なんだかんだで、みんなパリへ行く。そういう時代だったんだよね。

――きっと、いまよりもっともっと「憧れの街」だったんでしょうね。当時のパリって。

立木 ただ、その一方で、開高（健）さんなんかの文章を読むとさ、「陰鬱なパリ」が延々と語られたりするんで、人によって受け止め方はちがったのかもしれない。底冷えのする真冬のパリは、やっぱり厳しいところだと思うしね。笹尾ちゃんと行ったときに何をしていたのか……ぜんぜん記憶にないんで、今度聞いといてほしいんだけど。

――わかりました。ひとつ、笹尾さんによると、パリへ行く途中のアンカレッジで、越路吹雪さんに「うどん」をごちそうになったそうなのですが……立木さんともども。覚えていますか？

立木 ああ！ 覚えてる！ ちっちゃなうどん屋ができたんだよ、アンカレッジの空港に。立ち食いのね。で、越路吹雪さんが同じフライトだったんだけど、たぶん面識があったわけじゃないんだ。あちらも俺のことを知ってたかどうか、同じ日本人ですねくらいの感じだったんじゃないかなあ。俺が「うどん、いいですよね」って言ったら「うれしいわ」なーんて言って、俺と笹尾ちゃんに、おごってくれたんだ。

――立木さんと笹尾さんに。越路さんが、うどんを。

立木　俺は俺でおごろうと思ったはずなんだけどね、たぶん。負けずに、俺がおごったろうって。でも、おごられちゃった。

――ははは、はい。素敵なエピソードです（笑）。

立木　マッキャンエリクソン博報堂がおごってもよかったよね（笑）。ああ、でも、そうか。あのとき笹尾ちゃん、一緒だったのか。

――自分は、画家になってからの笹尾さんしか知らないのですが、広告代理店のクリエイティブディレクター時代の笹尾さんって、写真家・立木義浩さんの「仕事相手」としては、どういう方だったんですか？

立木　まずは「マメな人」だよね。じゃない？　行動力もあるから、何かいいこと思いついたら、クライアントのところでもどこでもすっ飛んで行っちゃうような、そんな感じの人だった気がする。奈良原一高って知ってる？

――あ、はい。もちろんです。もう10年くらい前、東京国立近代美術館でやっていた、北海道の修道院と和歌山の女性刑務所の写真展に感銘を受けました。

立木　あの人、ダイアン・アーバスの塾に入ってたんだよね。すでに有名人で、写真集を3冊くらい出してた。だからダイアン・アーバス先生が、生徒みんなの前で「イッコーは、もう本を3冊も出してる。わたしはまだ一冊も出してないのに！」なんて紹介したらしいんだけど、そのとき奈良原さん、えらいことに、講義の一部始終をテープに録音してたんだよ。で、その音声をもとに『.diane arbus.』ってベストセラーが生まれたんだけど。

――ええ、ええ。

立木　笹尾さんが、その類の人だったらうれしいんだけどな。

――ははは、「何かいいもの録音してないかな?」と(笑)。

立木　そうそう(笑)。でもさ、記憶力のいい人だよね、きっと。

――はい、そう思います。

立木　引き出しの中からいっぱい出てきそうだから、ものを書いたらおもしろいんじゃない? 何年に誰がどうした、何年に彼がこうしたとかって。俺がちょっと脚光を浴びるみたいなことになってたときは「たっちゃん、次の選挙に出なよ。きっと受かるよ」なんてバカなことを言ってた覚えがある。

――笹尾さんが、ですか?

立木　そうそう、こいつに何かおもしろいことをやらせてみようみたいなさ、そういうことを言うんだ、しょっちゅう。俺はひっかかんなかったんだけどね。そうやって、笹尾ちゃんのヘンな提案にひっかかっちゃった人も、いっぱいいるんじゃない?

――へええ……軽口を叩く、みたいな? そういう笹尾さんは、けっこう意外です。知りませんでした、そんな一面もあったなんて。

立木　いままで、そんなようなこと、なかった?

——ぼくはないです。少なくとも「選挙に出なよ」的なことは（笑）。

立木　じゃ、猫かぶってるのよ。

——そうなんでしょうか……（笑）。ちなみに立木さんは「笹尾ちゃん」って呼んでたんですか？

立木　そう、笹尾ちゃん。

——それも、いまのイメージとはだいぶ隔たりがあります。いわゆる「業界っぽい感じ」だったりもしたんですかね。逆に立木さんは、笹尾さんに何と呼ばれていたんですか？

立木　んー、「たっちゃん」かなあ。それか、少しだけ年齢が上なんで「立木さん」かな。それも覚えてない。同世代だから親しみやすさはあったんだと思うけど、お互いに。あとはほら、あのころ、新宿の隅っこの飲み屋みたいなところには、カメラマン、絵描き、デザイナー、そういう連中が集まってきてたんだけどね。第一次オイルショックのときなんか「全員が下を向いてる」んだよ。

——下？

立木　仕事がないから。電話がかかってこないから。

——ああ……飲み屋さんでも、下を向いちゃって。

立木　浅葉（克己）とかね、資生堂の横須賀（功光）とかね、俺も含めて30いくつ……40手前くらいの連中が、たまたまバーで一緒になったりするんだけど、当時はみんな「とんがってる」んだよ、まだ。で、自分がいちばんだと思わなきゃやってられないくらい「自信がない」んだ。それぞれに。

――自信がないから「俺がいちばんだ」と思い込む……んですか。

立木　そうでしょ。で、精一杯、自分を大きく見せようとするんだけど、まあ、大した仕事はしてないわけ。写真やデザインの教育をちゃんと受けてきたわけでもないし。アートディレクターだなんていったって、印刷のことを完璧にわかってるようなやつ、ほとんどいなかったような時代だから。

――でも立木さんは、すでに大きな仕事をされてましたよね。

立木　ただ忙しいのと、いい仕事に出会うのって、ぜんぜんちがうよ。そもそも、いい仕事とか悪い仕事ってのも、本当にはよくわからないわけでさ。金額の多い少ないはあるよ、もちろん。フリーはそこが難しい。来月の何日に大きな仕事の依頼がポンと来ました、でもその何日か前、その同じ日に、うーんと安い仕事が入っちゃってた。動かしたいじゃない、その安いほうを、どうにかして。

――たしかに（笑）。それが人情ってもんですよね。

立木　実家の母親がキトクでとかさ、俺、もう何度もウソついてるわけ。そうやって生き延びてきたんだよ、みんな。好きなように写真を撮ってさ、ポンと出したらみんながワーとか、そんなことはあり得ないんだよね。だからこそ、俺たちフリーにしてみたら、笹尾ちゃんみたいな「エサを配る人」が大切なんだ。調子よく仕事が回ってきてさ、何年もスケジュール帳が「真っ黒」だったとしても、いざオイルショックですなんて日には、一気に「真っ白」になっちゃうわけだから。

――なるほど。

立木　でもさ、そんなふうにして、ぜんぜん仕事のない時期って、ある意味で貴重でね。つまり「無所属の時間」を過ごせるじゃない。どこにも所属してない時間を、バーかなんかで、ひとりでさ。それって「自分と向き合うこと」でしょ。そういうときに、その都度、「時代に教わってきた」みたいなところがあるから。

――無所属の時間は、貴重な時間。言われてみれば、笹尾さんには、そういう「無所属の時間」を感じることがあります。

立木　あったほうがいいよ、そういう時間。誰にも、あなたみたいに会社勤めをしている人にも「無所属の時間」はあったほうがいい。それが、いつか「自分を救う」から。

――そうですか。

立木　うん、絶対。人間、「寂しい時間」がなかったら、生き延びてはいけないと思う。なんかさあ、あんまり笹尾ちゃんの話になんなかったな。適当にウソ書いといてください。

――いえ、そういうわけには（笑）。それでは最後にひとつだけ、立木さんは、笹尾さんの描く絵のことは、どんなふうに思ってらっしゃいますか？

立木　最初にも言ったけど、あの「赤」でずっと貫き通してるのが、すごいよね。だって、そうすることの「恥ずかしさ」も、同時にあるわけじゃない。

――恥ずかしさ？

立木　つまり「マンネリ」と言われちゃうことだって、絶対あるはずだから。よく平気な顔してるなあと思う。そんな勇気、なかなか持てないよね。もちろんマンネリのマの字もないし、本人はつねに「新しい顔」をしてるんだけど。とにかく、これだけ続けてこられたのは、やっぱり「腕っぷしが強い」んだと思う。笹尾ちゃんって人は。そんな感じもしないんだけどね、一見。

――2023年7月21日 六本木にて

立木義浩（たつき よしひろ）

写真家。1937年、徳島県徳島市で生まれる。東京写真短期大学（現・東京工芸大学）卒業。65年、『カメラ毎日』に連載した「舌出し天使」「Just Friend」で日本写真批評家協会新人賞を受賞。69年、フリーのカメラマンとして独立。70年「GIRL」「イヴたち」の個展で評価を決定的なものにする。以来、広告、雑誌、出版、映像など幅広い分野で活躍。2010年、日本写真協会賞作家賞受賞。14年、文化庁長官表彰。作品に『私生活 加賀まりこ』（毎日新聞社）、『家族の肖像』（文藝春秋）、『東寺 生命の宇宙』（集英社）、『Yesterdays』、『舌出し天使 A FALLEN ANGEL』（リブロアルテ）など。

赤の謎

神さまが会わせてくれた人。

中嶌重富
（アラヤ株式会社 代表取締役社長）

8

――オフィスの壁という壁に、笹尾さんの絵がかかっています。エントランスにも、笹尾さんの立体作品が展示されていましたし……うわさには聞いていましたが、ここまでとは（笑）。

中嶌　ありがとうございます（笑）。我が社では「Work in the Gallery」をコンセプトに、オフィスを笹尾光彦さんの絵画作品でいっぱいにし、笹尾作品に囲まれながら仕事をしています。弊社にお越しになるお客さまも「美術館に来たみたいで素敵ですねえ」ってほめてくださるんです。

――いやあ、そうでしょう。じつに羨ましい環境ですが、翻訳業を中心とした会社なんですよね。絵とか美術じゃなくて。それがいったいどうして、こうなった……のでしょうか？

中嶌　このアラヤという会社をつくったのが、２００４年の４月なんです。はじめて笹尾さんにお会いしたのは、その前の年の暮れ。新しく立ち上げる会社の名前を考えたり、参加してくれる社員の面接をしたり、創業準備で気分が高揚していた時期でした。夢はいっぱいあるんだけれども、同じくらい不安もあるような。

――はい。そういう「２００３年の暮れ」だった。

中嶌　そう、そんなときに渋谷Bunkamuraのザ・ミュージアムへ行ったんです。棟方志功さん生誕百年の展覧会を観るために。ぐるっと会場をめぐり、作品をひとしきり鑑賞してからエスカレーターで地上へ上がってきたんです。そしたら……一階のギャラリーが「真っ赤な絵」であふれていた。非常に気になる展覧会が開催されていたんです。ただ、わたしは棟方志功展を観に来たわけですし、後ろ髪を引かれながらも、その場を通りすぎたんです。

――その「真っ赤な絵の展覧会」には、立ち寄らず？

中嶌　そうなんです。でも一歩、出口を出たところで、どうしても気になってしまって。やっぱりのぞいてから帰ろうと、真っ赤な展覧会場へ引き返しました。それが、はじめて観る笹尾光彦さんの個展でした。「パリの花屋さん」シリーズのときですね。もう、いっぺんに大好きになってしまって……とくに、ある一枚の絵に惹きつけられました。たしか当時で12万円くらいだったんですが「買いたい、買いたい……買おう！」と。新しくできる自分の会社に、ぜひ飾りたいと思ったんです。

――おお。

中嶌　ご存じかもしれませんが、笹尾さんの「パリの花屋さん」シリーズって、オーニングつまり「日よけ」にお店の名前が描いてあるんです。フランス語で。買った絵の花屋さんの名前を、わたしの会社の名前に描き換えてもらえたら最高だなあ……と思いました。もちろんダメだろうとは思ったんですよ、非常識なお願いですから。でも、本当に気に入ってしまったし、聞くだけ聞いてみようと。たまたま笹尾さんご本人も在廊されていたので。

――それはまた、何というか、思い切った。

中嶌　そのとき「はじめまして」からはじまって、1時間くらいお話しさせていただきました。案の定、会社の名前を絵に描き入れる件は断られました。でも、そのあとに「新しい会社のロゴはどうされるんですか。必要でしょう」とおっしゃるんです。いちおう自分で考えてるんですけど……って、お見せしたんです。わたし、デザインなんてやったこともなかったんだけど、新会社のロゴはどんなふうにしようか……何度も何度も描いては消し描いては消しで、自分なりに考えていたんです。そのロゴデザインをですね、ズボンのポケットに入れていたんです。

――へええ！

中嶌　恥ずかしかったけど、これなんですとお見せしました。そしたら笹尾さん、「中嶌さん、これはダメだよ」って、見るなり。

――撃沈。

中嶌　はい（笑）。

――何せ外資系広告代理店の副社長、クリエイティブのトップまで務めた人ですものね……そこの「見る目」はシビアでしょうね。

中嶌　あとから聞いた話ですが、広告を頼むクライアント側も、レオ・バーネット協同に発注するにあたっては「笹尾さんが担当してくれるかどうか」を非常に気にしていたそうです。発注の際の大きな関心事、ときには「条件」だったようなケースもあったとか。外資系広告代理店の、押しも押されもせぬ大エースだったんです。だから、ダメ出しされても仕方ないんです。ただ……。

――ええ。

中嶌　このロゴじゃダメだよって言われても、誰かがロゴを考えなきゃならない。名刺一枚つくるにしたって、絶対に必要になってくるじゃないですか。どうしようと思案していたら、笹尾さんが「ロゴね、必要なら誰かを紹介してもいいし、もし予算がなかったら、わたしが考えてあげましょうか」って。

――えええ、すごい。

中嶌　一ヶ月くらい待ってくれれば、考えてみるからって。で、気に入ったら採用してくれればいいよって。それでもう、一も二もなく、お言葉に甘えました。「ありがとうございます！　ぜひ、よろしくお願いします！」って。

――立ち入ったことをおうかがいしますが、それって、つまり「無料」ってことですか？

中嶌　無料です。無料で、本当に素敵なロゴをつくってくださったんです。いまでも、我が社のロゴマークとして掲げています。名刺にも、ほら、きちんと印刷されています。

――いったん通りすぎたのに、どうして、また戻ろうと思ったんでしょうね。

中嶌　何だったのかなあ……とにかく、気になって仕方がなかった。このまま通りすぎたら、きっと後悔すると思ったんです。それで、踵を返して戻っていった。だからまあ、わたしにとっては「運命の出会い」と言ってもぜんぜん大げさじゃないんです。だって、いったんは外に出たわけですから。Bunkamura の外に。

――で、戻ってみたら、将来のオフィスを埋め尽くす絵に出会っちゃった……のみならず、会社のロゴまでできちゃった。

中嶌　しかも笹尾さん、そのときにね、事務所の物件が決まったら教えてくれって言うんです。オフィスデザインをやっている知り合いを紹介してあげるからって。で、その知り合いという方が、ずっと笹尾さんの展覧会の会場構成を任されている、インテリアスタイリストの斎藤志乃さんでした。当時は、まだ20代の若さだったと思うんですが、本当に素敵な内装をデザインしてくださって。施工業者さんも紹介してくれて、おかげで工事費用も安くあがったんです。

――人と人とをどんどんつなげていくところが、笹尾さんらしいですね。

中嶌　そして、いよいよオフィスが完成するというとき、笹尾さんが「ぼくの絵は、どこに飾るつもり？　他にも絵は持ってるの？」って聞くんです。当時、個人的に買った絵が2〜3枚あったんですけど、テイストがそれぞれバラバラでした。そしたら笹尾さんが「ぼくの倉庫にいろいろあるから、とりあえず、それを貸してあげるよ」って。

――何だかもう、一から十まで！

中嶌　素晴らしいコレクションを、たくさん貸してくださったんです。笹尾さんの作品はもちろん、マティスのポスターなんかもあって……。おかげで「ギャラリーの中にあるオフィス」というコンセプトの原型が、最初から、あるていど完成してしまったんです。

——いまは、笹尾さんの作品だけですよね？　社内にかかっているのは。

中嶌　ええ、それから20年くらいかけて、笹尾さんの個展があるたびに買い足しまして……。いつの間にやら、こういうことになりました（笑）。

——これまで何名かの方に「笹尾さんって、どういう人だと思いますか」と聞いているんですが、多くの人に共通するのが「有形無形、何かをくださる人」というイメージなんです。

中嶌　ああ、まさに。これはのちの話ですけど、笹尾さんが、懇意にされていた和田誠さんをご紹介くださったんです。で、その和田さんが、我が社の別のプロダクツロゴをつくってくださったりもして……。

——中嶌社長は「笹尾さんから、何かをもらっている人」の代表格みたいな感じがしますね。会社のロゴから内装デザインから壁にかける作品から……「和田誠さん」から。そもそも初対面の社長に、そこまでよくしてくれる理由って何だったんでしょうか。何か心当たりとか、あったりしますか？

中嶌　いやあ、それがわからないんですよ（笑）。何だったんでしょうね……。広告をやっていた時代の経験や知識、人生観、哲学……そういったものの一端を、わたしのような人間に惜しみなく与えてくださるんです。

――中嶌さんの挑戦を、応援したくなったのかなあ。

中嶌　会社って、最初からはうまくいかないじゃないですか。弊社は資本金5000万円ではじめたんですけど、ビルの保証金を払ったり、毎月の人件費を払ったりしていたら、残高がぐんぐん目減りしていくんです。それなのに仕事は思うように入ってこない。開業から6ヶ月くらい経過したあたりで、資本金の残りが2000万とか1500万とか……。

――わあ。

中嶌　当時、1ヶ月に1回か2回、笹尾さんがフラッと寄ってくれてたんですね。そういうときに、経営についての悩みや心配事を聞いてもらっていました。何せ外資系広告代理店の副社長だった人ですから。そしたら「中嶌さんね、仕事なんか、そんなにすぐには来ないもんだよ」と。「大丈夫、大丈夫。これだけがんばってるんだから、絶対にうまくいくよ」って、励ましてくださった。おかげで、少しずつですが仕事が回りはじめたんです。

――今度は経営コンサルタント的な笹尾さん。それもまた、「無料」の。

中嶌　そう（笑）。わたしにとって大きかったのは「話を聞いてもらえたこと」だったと思います。経営者って「孤独」なんです。悩みや心配事があっても、従業員の前ではなかなか話せない。でも、笹尾さんには何でも話せた。笹尾さんも、具体的な解決策をあれこれ提示すると言うより、まずは「黙って聞いてくれた」んです。そのことが、本当に、大きかったなあと思います。

――ちなみにですが、中嶌さんが「絵に囲まれて仕事をしたい」と思ったのは、どうしてなんでしょうか？

中嶌　翻訳って「白黒」なんですよ、目に入るものすべてが。

――あー……文字を扱う仕事だから。

中嶌　そうなんです。読む資料もアウトプットする文章も「ぜんぶ白黒」なんです。だから、少しでも創造的な仕事をしたいと思ったとき、せめて、資料からパッと目を上げたところに「絵」があれば。社員の五感から、いろんな「色」がインプットされるじゃないですか。そういう環境で、クリエイティブな仕事をしてほしいと思ったんです。

――その意味では、笹尾さんの絵って、うってつけですよね。何しろ「色」で語られる作家ですし。明るい絵だから、やる気も出そう。中嶌さんにとっての偶然の出会いは、生涯最高の出会いだった。

中嶌　本当に。笹尾さんの絵って、眺めていると「元気をもらえる」じゃないですか。色使いだけでなく、さまざまな意味で自由奔放だし。わたしはね、笹尾さんは「神さまが会わせてくれた人」だと思ってるんです。何にも大げさじゃなく、本心から。笹尾さんって、それくらい、わたしにとって大きな、奇跡のような存在なんです。

――２０２３年７月24日　西五反田にて

中嶌重富（なかじま しげとみ）

昭和22年（1947年）生まれ。昭和41年（1966年）都立千歳丘高等学校卒業。同年、三井銀行入行、名古屋駅前支店融資課長、神保町支店得意先課長などを歴任。平成元年（1989年）三井銀行退職。同年8月、翻訳会社の常務取締役に就任。平成16年（2004年）2月、翻訳会社退社。平成16年4月、アラヤ株式会社を設立し、代表取締役に就任。

何かをポンと置いてくれる人。

串田明緒
（写真家・文筆家・企画コーディネート）

9

明緒　わたしと笹尾さんを引き合わせてくれたのは、宇佐美（清）さんなんです。

――あ、そうだったんですか。ブランディングディレクターの。先日、取材をさせていただきました。

明緒　同じマンションの下の階に、ご夫婦で住んでらして。当時、うちの小学生の子が友だちをよく連れてきてベランダでワイワイしていたと思うんだけど、静かにしてと言われたこともなくて、とってもやさしいおふたりでした。しばらくはニコッと笑って挨拶を交わすていどだったんですが、わたしたちが引っ越すことになってしまって。そのとき宇佐美さんが、じつはぼく、よく知ってるんですよって、義父の串田孫一の家に、広告に使う原稿をもらいに行ったときの話をしてくれたんです。

――詩や随筆、小説などで有名な、串田孫一さん。が、宇佐美さんの広告に？

明緒　ある食品会社の新聞広告だったんですが、宇佐美さんが手がけたんだそうです。それから夫婦でごはんをご一緒したり、夫（串田和美さん）のお芝居を見に来てくださったり、というおつきあいがはじまったんですが、あるときに「会わせたい人がいる」って、宇佐美さんが言い出して。

――それがつまり、笹尾さん？

明緒　そうなんです。それまでにも何度かあったんです。宇佐美さんが「あの人に会ってきて」って言うことが。その場には、宇佐美さんは来ないんですけど。

――いまのこの状況と似てますね。今回、行ってこいと言ったのは笹尾さんですが。

明緒　そう(笑)。でね、そのうちのひとりに、笹尾さんがいらっしゃった。宇佐美さんに「どうしてですか?」って聞いても「ぼくの勘です」って。会ったほうがいいと思ったんです……って。そうやって、笹尾さんの Bunkamura の展覧会へおうかがいしたのが、最初の出会いです。

――笹尾さんは、宇佐美さんの「さしがね」だとは、気づいてないみたいでした。明緒さんと知り合ったきっかけを思い出せない、Bunkamura の関係かなあと言っていたので。でも宇佐美さん、ふだん笹尾さんがやっているようなことを、明緒さんにやったってことなんですね。こっそり(笑)。

明緒　わたしは、その笹尾さんから、たくさんの方をご紹介いただいてきました。井上嗣也さんも、そのおひとり。わたしが馬を撮っていたころ、井上さんに写真展の方向性で迷っていたら、笹尾さんが「井上さんのところへ行こう」って。井上さんに写真を見ていただいたんです。たしか「SASAO」のロゴは、井上さんがデザインしたんじゃなかったかな。

――そうやって人と人とをつなげてくださるんですよね。ぼくも、知人との関係性の大元をたどっていくと、「ああ、そうか、笹尾さんだったんだ」みたいなことがあります。

明緒　これ、笹尾さんが手描きでつくってくださったものなんです。

――何ですか……笹尾さん直筆の、企画書?

明緒　わたしと笹尾さんのまわりにいる人々の相関図みたいなもので、たとえば写真集をつくるんだったらこの人に何を頼んだらいい、文章を書くのならこの人に何を頼んだらいい……とか、そういうことをまとめてくださってるんです。

――え、つまり、笹尾さんによる「明緒さんプロデュース戦略シート」みたいなもの？　明緒さんとコラボレーションしたらおもしろそうだと思うクリエイターをリスト化して、そこへ、それぞれ笹尾さんの一言メモが添えてある。すごい……！

明緒　これまでに撮った写真や書いた文章があるよね、こういう素晴らしい人脈もあるよね、こういう舞台も用意できそうだ、足りないのは作家としての知名度と自覚。であるならば、どんなふうに「串田明緒」という人間をプロデュースしていったらいいか……。

――クリエイティブディレクターとしての笹尾さんには「もう驚かない」と思っていたけど……これには驚かざるを得ません。

明緒　写真集を出版すると同時に写真展も開催しよう、とか。串田明緒という「ブランド」を確立していくために、こういうロードマップを検討してください、とか。その際のアートディレクターは井上嗣也さんがいい、今までの写真とこれからの提案を見てもらいなさい、とか。

――弊社オリジナルの手帳やカレンダーで笹尾さんとコラボレーションしたときも、打ち合わせにはかならず「手描きの企画書」を描いてきてくださるんです。でも、このタイプは、はじめて見ました。

明緒　そうですか。

――串田明緒さんというひとりの作家のプロデュース戦略、じゃないですか。こんなの描くの、一朝一夕では絶対に無理です。明緒さんがやってきたことに対する敬意と、知識と、明緒さんに対する思いがなければできないことです。ひゃー……びっくりしました。

明緒　ありがたいです。笹尾さんとお話をすると、自然にやる気が湧いてくるんです。目の前の人をじっと見つめて、「いま、その人に必要なこと」を言葉にして「ほら」って差し出してくれるから。

――同じことを言うのにも、表現が肯定的ですよね。否定形で表現しないという気がします。だから「前向き」になれるのかな。

明緒　それでいて、ダメなものはダメってズバッと言うし。

――いい悪いの基準が明確で判断が早いと、井上嗣也さんもおっしゃってました。

明緒　きっと「なぐさめよう」とか「元気づけよう」と思ってアドバイスしているわけじゃないんですよね。だからこそ「絶対に嘘をつかない人」だって思える。みんなが、笹尾さんのところへ相談へ行くのわかります。老いも若きも、男も女も。

――あ、そうなんですか。そんなに？

明緒　ええ。わたしなんて、自分のプロフィールまで見てもらったりしてます（笑）。「どう思いますか？」って。あるときに「サーカス、歌舞伎、現代劇、俳優やアーティストの肖像や、故郷の近くに生息する野生馬など、身近にある〝近くて遠い旅〟をモチーフにしている」と書いたんですね。夫やその舞台、義父、あるいは自分の故郷など身近にいる人やものごとを掘り下げたいという意味で書いたんですが「ここ、通じるかなあ」って、少し気になってたんです。いちばん伝わりにくいかもしれない箇所なので。でも、笹尾さんは「ぼくは、ここがいいと思った」って。

――バッチリ理解してくれたんですね。

明緒　だから、わたしにとっては、ただやさしいだけじゃなく「導いてくれる人」というイメージがあります。誰かと誰かをつなげたり、粋で知的でスマートだったりするけれど、反面、好きと嫌いがとってもはっきりしてらっしゃったりもしますよね、笹尾さんって。

――そう思います。

明緒　ちがうことはちがう、やりたくないことはやりたくない。まずご自身がそうだから、わたしなんかが、ちょっと間違った方向へ行きそうになったときにも、真剣に止めてくれるんだと思うんです。

――そうか、「止めてくれる」信頼感があるから「導いてくれる人」なんですね。だからこそ、みんな相談に行くんだ。

明緒　わたしも実際、何度か止められたことがあります。それ、やめといたほうがいいとか、少し気をつけたほうがいいとか。

――笹尾さんが紹介した人どうしって、すっと仲良くなっちゃうじゃないですか。ぼくは、そこが笹尾さんのすごいところだなあと思うんです。どんなマッチングアプリよりも的確（笑）。

明緒　あれ、何なんでしょうね？　まったくの畑ちがいの方でも、自然と仲良くなれちゃう。（インテリアスタイリストの斎藤）志乃さんとも、お互い好きなものはぜんぜんちがうんだけど、深い部分でおしゃべりできるという感覚があります。不思議ですよね。

――笹尾さんに対する信頼感が、双方にあるからなんでしょうね。

明緒　そうかもしれない。

――今回、インタビューしていると「笹尾さんって、こんな人だよね」みたいなところへ話が落ち着くことがあるんです。それが、じつに人それぞれでおもしろいんです。たとえば、ある人にとっては「去り際の美しい人」だったり、またある人にとっては「妖精」だったり（笑）。

明緒　ふふふ（笑）。

――明緒さんにとっては、どんな人ですか？

明緒　うーん……………何だろう、難しいなあ（笑）。あらためて考えると、どういう人って言えばいいのかな。笹尾さんのこと。

――一般的には「画家」なわけですけれど。

明緒　はい、わたしも画家として知り合ってますし、広告クリエイティブの時代のことは何も知らないんですが……。お手紙やメールをたくさんくださるけど、書いてあることが的確で、無駄なことってほとんどないですよね。

——ええ。おかげで「雑談の余地がない」から、いつか雑談をしてみたい人……という方もいました。その人にとってはそうなのかもしれなくて、じつはぼくにも、同じような印象があります。すぐに本題、本質的な話へ入っていくようなところがあるから。

明緒　たしかにわたしも、本当にどうでもいい話は、あんまりしたことがないかも。おもしろいと思うことに対して猪突猛進、一直線という感じですしね。あとは、やっぱり「正直」で「誠実」な方だと思います。ご自身に対しても、周囲の人に対しても。絶対に嘘をつかないって言い切れると思う。

——そのことは感じます。

明緒　だからといって、子どもっぽいわけでもないんです。冷静でよく見ているし。笹尾さんって……うーん、どういう人なんだろう？（笑）

——不思議な人？（笑）

明緒　考え方やふるまいがシンプルで、ひねくれてらっしゃらない。でも表層の部分じゃなく、深いところまで考えている。本気で思っていることしか言わないから、安心して話を聞ける。だから、相談したくなっちゃう。でも、ただ話を聞いてくれるだけの人ってわけでもないし……。うまく出てこないです、ごめんなさい（笑）。

——いえいえ、わかります。画家と言ってしまえば簡単なんだけど、あまりにも「画家以外の笹尾さん」がたっぷりしてますもんね。

明緒　陽の人で、陰を感じない。でも、ひたすら明るいだけの陽じゃなく、どこかにシニカルさを秘めてもいて。ピリッとスパイスが効いているというのかな……ふふふ、何て表現したらいいんでしょうね、そういう人のこと。どんどん人と人とをつなげていっちゃうし……お話をしていると「自分がまとまっていく」し。

――うん、うん。

明緒　ハッとさせられるし、理解してくれるし、いま自分に何が必要かっていうことに気づかせてくれるし。もう、本当に難しい……んだけど、でもそうか、わたしにとってはやっぱり、インスピレーションを与えてくれる人、なのかな。

――おお。

明緒　目の前に、何かをポンと置いてくれる人。「わあ、気がつかなかった！」みたいな何かを。……うん、そういう人、なのかも。

――それは「答え」ではないですよね、きっと。笹尾さんが置いてくれるものって。

明緒　ちがいますね。

――ヒントというか、考えるきっかけというか。

明緒　そうそう、そういうもの。目には見えないものですね。笹尾さんが置いてくれるものって。モノとしてのプレゼントもたくさんくださるし、それだってもちろんうれしいんです。でも、そのモノにさえ「目に見えない何か」がくっついているような。そんな人じゃないかなと思います。

――2023年7月25日 吉祥寺にて

串田明緒（くしだ あきお）
写真家・文筆家・企画コーディネート。日本大学芸術学部文芸学科卒業。出版社で撮影アシスタントのバイトをしていた在学中に『週刊朝日』の表紙モデルとなり、同時に篠山紀信が女子大生たちを撮る光景を撮影し文章に綴った。写真は独学でさまざまな形から学ぶ。夫は俳優・演出家・舞台美術家の串田和美。詩人・哲学者・翻訳者・随筆家の串田孫一は義父にあたる。サーカス、歌舞伎、現代劇、俳優やアーティストの肖像や、故郷の近くに生息する野生馬など、身近にある〝近くて遠い旅〟をモチーフにしている。舞台のメインビジュアルを数多く手がけ、エッセイも綴る。2016年8月、イギリス・オックスフォード大学内Pitt Rivers Museumに「KABUKI On Stage,Behind the Scenes」銀塩プリント永久収蔵。著書に『拝啓「平成中村座」様』『わたしの上海バンスキング』など。写真集に『Circus 目を開けて夢をみる』『Talking with the Horses -naked winter-』。「朗読と音楽　串田孫一」「独り芝居　月夜のファウスト」など、串田企画の公演プロデュースも手がけている。

10

100号の絵を、飾る場所もないのに。

神保純子（出版社勤務）・泰彦（大学教授）

純子　1997年に、知人に誘われてBunkamuraの展覧会へうかがったのが、笹尾さんとの出会いです。何でも会社を辞めて画家になった知人がいる、本当に素晴らしい絵を描くから見に来てちょうだい……って、熱心におっしゃるので。

――97年というと、笹尾さんが画家になってはじめての展覧会、ですね。

純子　そうです。第1回です。当時は、週末になると家族で行動していたので、ちいさかった息子ふたりを連れて、夫と4人で。笹尾さんの絵は、そのときはじめて見たんですが、いままで触れたこともない作風で、とっても素敵だなあ、と。とくに、画中に「本」が描かれている作品があって……。

――笹尾さんの絵のひとつの特徴ですよね、絵の中の本。

純子　わたしが出版社に勤めていて夫が研究職ということもあり、一家で本好きなんですけど……さまざまな「本」が描かれた絵が並んでいて。すぐに気に入ったんですが、逆にどれにしようか、ぜんぜん決められなくて……もう、ずうっといたんだよね？

泰彦　いたね（笑）。

――つまり、その時点で「買う」ことは決めてたってことですか？

純子　はい。どれかひとつは、絶対に連れて帰ろうと決めていました。でも、なかなかひとっに絞り込めなかった。展覧会場に、何時間いたんだろう？　当時はまだ若くて、この家を建てる前だったから、お金もなかった。気軽に「これ！」なんて決められなかったんです。

——なるほど。

純子　ああでもない、こうでもない、一枚に絞らなきゃならないんだけど決め切れない、どうしよう……って、ずーっと迷って見ていました。当時は夫の社宅に住んでいましたから、大きな絵は無理。なので、中くらいのサイズの作品の中で迷っていたんですが……何時間も眺めているうちに、だんだん「これじゃない……かも……」って思うようになったんです。

——これじゃない。つまり中くらいのサイズの絵じゃないかも、と？

純子　そう、いくつも並んでいる中の一枚じゃなくて「わたしが本当にほしいのは、あの、いちばんおっきな絵だ！」って。

——わあ（笑）。

純子　第1回の展覧会のタイトルの横に「どーん！」と掲げられている、ひときわ大きな絵。サイズは100号で、価格はたしか「70万円」でした。

——衝動的に購入するにしては、少々ビッグですね。何もかもが。

純子　号数にしたら安いんです、いまから思えば。笹尾さんの画風ですから油絵の具もたくさん使われていて。でも、当時のわたしたちには「大金」でした。家を建てるための貯金もしていましたし、「ほしいけど、高すぎるなあ……」って思っていたら、展覧会に誘ってくれた方が「どうしたの?」って声をかけてくれて。「いや、いろいろ考えた結果、本当にほしいのは、どうやらあの絵なんですけど、わたしたちには高いですし、100号なんて飾る場所もないし」って。

――ああ、そうか。買ったとしても……。

純子　いまの代官山の蔦屋書店のところに建っていた団地に住んでいたんです、そのとき。すぐそこが渋谷なのに、窓を開けると、ずうっと林が続いているような、ちょっと不思議なところでした。ただ、古いし、広いわけでもないし、わたしたち、家具もお互いの実家に預かってもらってたくらいだったので(笑)。

――そこへ、そんな大きな絵をどうするんだ、と。

純子　夫とも「絶対、入らないよね」って。つまり、買ったところで飾る場所がないんです。

――それまでにも、絵を買ったりはしていたんですか?

純子　ちっちゃな作品を、少し。(マリー・)ローランサンのリトグラフとか。だって「身の丈」ってあるじゃないですか。大きな油絵で、それなりのところに置いてあげなきゃダメだよね、なんて作品は、買ったことがありませんでした。結局、何時間も会場の椅子で悩み続けていたら、見かねたのか、取り次いでくださる人がいらして「笹尾が、少し値段を下げてもいいと言ってます」って（笑）。

――おお。

純子　「だから、もし気に入ったのなら、ぜひ買ってください」って。「でも、わたしたち飾る場所がないんです。将来的に家を買うつもりで貯金をしているけど、まだ影も形もないんです」って打ち明けたら、「大丈夫です。その間はギャラリーで預からせていただきます」って。

――Bunkamuraさんが？　いつか家を建てるまで？　いつまでとかの期限も切らずに？

純子　そうなんです。どういう仕組みかはわからないんですが。家が建つまで、預かってくださるって。

――100号という、そんな大きな作品をですか。すごいですね！

純子　だったら、じゃあ……って。買うなら絶対に妥協したくないって思ったんです。それから、この家を建てるまでに2年くらいかかってしまったんですけど、その間ずっと、保管していただいて。

――その大きな100号の絵は、この家の玄関を入った真正面にかかっていましたが、じゃあ、あの壁は……「笹尾さんの壁」として。

純子　はい、この家を建てるときに「わたしたち、100号の絵があるんです。その絵をかけるための壁が、絶対に必要なんです」って。最初から、笹尾さんの絵のために用意した壁なんです。で、ようやく家が建ってから、Bunkamuraさんに連絡を入れて……展覧会から2年後くらいに、ようやく一緒に暮らせるようになったんです。

――そういう場合って、たまに作品を見に行ったりとかするもんなんですか？　預けている間。

純子　いえ、一度も行ってません。どこに保管されていたのかも知りませんでした。ふたりとも仕事で忙しくしていましたし、子どもたちもちっちゃかったんで、正直なところ、絵のことを思い出す暇もないくらいだったんです（笑）。もちろん、預けていることはつねにどこかで意識していて、家ができたら飾るんだって楽しみにしてはいたんですけど。

――そんなふうにして、画家・笹尾光彦さんの第1回展覧会のフラッグシップ的な作品が、ここ神保さんのお宅へやってきた……わけですか。でも最近、その作品に「修復が必要になった」んですよね。

純子　はい、絵の中の一部分だけ、ある色の部分だけが……絵の具を溶く油の調合がちがったのか、ひび割れて、どんどん剥離してきちゃったんです。自分たちではどうにもならなかったので、笹尾さんにご相談しました。メールで写真を送って「こんなふうになっちゃいました、どうしたらいいでしょう？」って。そしたら「たいしたことなければ、ぼくが行って直せるんだけど、見る限りけっこう重傷そうなので、いったん引き取ってアトリエで直します」と。

――入院期間は……。

純子　どれくらいだろう？

泰彦　笹尾さんに引き取られてからの壁の空白期間、けっこう長かったよね。1年くらいあったのかな。

純子　メールをさかのぼってみますね。ええと、お渡ししたのが、2022年の5月14日。で、元気になって戻ってきたのが、今年（2023年）の5月21日。

――1年と1週間。

純子　絵の具が剥離してしまっていた箇所は、当然、きれいに修復されて戻ってきたんですけど、よーく見ると、笹尾さん、ちょこちょこ「イタズラ」してるんですよ。

――イタズラ？

純子　お渡ししたときと、変わっているところがあるんです！　まず、あの絵の中の「ひとりがけの真っ赤なソファ」って、修復前は「フチ取りの線」がなかったんです。それが、戻ってきたら「青いフチ取り」がなされていたり。

――へええ。笹尾さんの「レッドソファ」のシリーズって、輪郭線が青くフチ取りされているイメージですけど、最初期の絵にはフチ取りがなかったってことなのかなあ。

純子　さらに、左上に描かれていた「画中画」が、別の絵になっているんです。もともと花の絵が描かれていたんですが、別の花の絵に変わってるんです。

――そういうことについては、お戻しの際に、笹尾さんは？

純子　言わないんです、何にも。ここのところ、描きかえといたよ……とか、そういうことは一切。わたしたちも「左上の絵、変わりましたよね？」とも聞きませんでした。

――おもしろいなあ。じつは、他にも変わっているところがあったりして（笑）。

純子　可能性がゼロとは言えませんね（笑）。ものすごく細かい箇所だったら、気づいてないってことも、あるかもしれないし。とにかく笹尾さんは「変えていいですか」とも聞かずに変えて、わたしたちも「変わりましたね」とはたしかめなかったんです。

泰彦　自分の絵だからね。笹尾さんにしてみたら。

純子　そうだね。

――絵って、そういうところがおもしろいですよね。誰かのおうちにいるんだけど、いつまでも産みの親の子ども、みたいなところがあって。ちなみに先ほど「最初の絵」と表現されてましたが、レッドソファのシリーズの中では最古、みたいな意味なんでしょうか。最初期の作品であることは、間違いないとは思うんですが。

純子　よくわからないんですけど、過去に何度か「最初に描いた絵だから、特別な展覧会をやるようなときがきたら、貸してね」って言われているんです。そもそもは、ずっと八ヶ岳の別荘に置かれていた作品だそうです。そこで長い時間をかけて描いていた絵なんですって。だから、特別な思い入れがあるんだとおっしゃってました。

――それからもう「25年」を超えるおつきあいだと思うんですが、あらためて、笹尾さんの描く絵については、どんな思いを持っていらっしゃいますか？

純子　外につながってる感じがします。
泰彦　うん。
――外につながっている……というと？
純子　額縁の中におさまらない。額縁の外側やまわりの風景が、想像できる。続きがあるよねって、思わせてくれる絵なんです。だから、何枚も手に入れたくなってしまうのかもしれません。
泰彦　実際わたしたちも、コロナの時期以外は展覧会ごとにうかがってますし、たびたび購入してきましたし。
純子　風景が「切り取られていない感じ」がするんです。ずーっとずんずん、絵が広がっていくような気がします。見えないところまで。何枚も並べると「風景がつながっていく」ような感覚にもなります。
――作品や作風の移り変わりって、感じたりしていますか？
純子　幸せそうだよね、いまは。絵が。
泰彦　ああ、たしかにね。
純子　これはいまだから言えるんですけど、一時期、ちょっと苦しいのかなあって感じるような時期もあったんです。絵を見て、勝手に、なんとなく……失礼なんですけど。
――そうなんですか。

純子　絵って、描く人の心の状態があらわになってしまうような気がするんです。文章と同じように。そのときは、絵に、笹尾さんの「葛藤」のようなものを感じて、このまま誰からも「いいね」って言われるような「職業画家」になっちゃうのかなあって、少し寂しい気持ちになったことがあったんです、正直。

泰彦　デビューしたてのころは「強烈なエネルギー」が、何よりの魅力だったんですよね。濃厚で濃密でコンセントレーティングな雰囲気が、通りすがりの人をも惹きつけてしまうような……それが、少し薄くなったように感じた時期もあったんです。

純子　でも昨年、数年ぶりに展覧会へうかがって「わあ、笹尾さんだ！」って、うれしくなりました。いま、笹尾さん、好きなものを好きなように描いているんだなあって。これまで以上に「自由」を感じて、ますます素敵だなあと思ったんです。初期から見ているいちファンの、勝手な感想なんですけど。

――２０２３年７月29日 代々木にて

神保純子（じんぼ じゅんこ）
出版社勤務。女性誌、文芸の編集担当を経て、文芸出版部長、『メフィスト』編集長、『with』編集長、事業戦略部長として電子書籍ビジネス、ウェブメディアの立ち上げ、運営に携わる。その後、グローバルクラウドファンディング「Kickstarter」との連携などを担当。現在は、映像クリエイターを支援する新規プロジェクト「講談社シネマクリエイターズラボ」のチーフを務める。

神保泰彦（じんぼ やすひこ）
ＮＴＴの研究所勤め時代に1年間のフランス生活を経験、欧州の人たちの価値観に大いに影響を受けた。その後、東京大学に移って脳の情報処理に関する研究に従事。趣味はどちらかというと音楽寄り。

フランスの家庭料理みたいな。

かたせ梨乃（俳優）

11

かたせ　とっても「ドラマチック」だったんですよ。笹尾さんとの出会いって。

――わあ、聞きたいです。

かたせ　当時の笹尾さんは、広告代理店でバリバリにお仕事をなさっていて、たくさんのコマーシャルをつくってらしたんですね。わたしがご一緒したのは、海外のヘアケア商品だったんですけど。

――はい。

かたせ　海外のブランドって、ほら、何て言うのかしら、こっちのオーディションで内定してからも髪の毛の状態を見たりとか、そういうプロセスがあるんです。日本のコマーシャルとは、ちょっとシステムがちがうっていうのかな。写真だけじゃなくて、総合的に判断がくだされるんですね。担当者が実際に本人に会って、インタビューを録画して、それを本国のクライアントにお見せするんです。

――そこを通過すれば最終決定。そういうものなんですね。

かたせ　でね、そのとき最後のふたりにまで残ってたの、わたし。でも結局、わたしじゃない方《かた》に決まったんです。まあ、それはそれで、仕方がないじゃない？　でも、いろいろな事情がかさなって、その方が出られなくなっちゃったのね。それで、もう何週間も経ってから、当時の事務所の社長さんのところへ「じつは、たいへん申しわけないんですけれど」っていうことで、ご連絡をいただいたんです。

――そんないきさつが。

かたせ　わたしはわたしで、もうダメになったものだと思ってたし、映画の撮影がクランクインしちゃってたんです。だから、そのとき東京にいなかったんですね。でも、急きょ「復活」したので、最終決定のためのオーディション動画を撮らなきゃいけない。どうしましょうという話になって、結局ロケ隊が撮影地の大分の由布院まで来てくださることになったんです。

――そのロケ隊を率いていたのがクリエイティブディレクター・笹尾光彦さん……。

かたせ　そう。わたしたち、亀の井別荘という素晴らしいお宿に泊まっていたんです。荒井晴彦監督の『身も心も』という、ちょっと大人の映画で。奥田瑛二さんがいて、柄本明さんがいて、永島暎子ちゃんもいて……。そこへ、撮影のない日に合わせてスケジュールを組んでうかがいます、ということになりました。たくさんでいらしてくださったんですが……だから、そういう「はじめまして」だったんです。笹尾さんとは。

――ということは「やっぱり、お願いします」の件がなければ、笹尾さんとは出会わなかったってことですね。のちのち出会っていたかもしれないけれど。

かたせ　そうなんです。なかなかドラマチックでしょう？　また、亀の井別荘っていうところが、古い洋館みたいで素敵なホテルなのよ。映画のロケ地として選ばれるような建物だから、もう、そこでコマーシャルが撮れちゃうような雰囲気だったのね（笑）。

――出会ったいきさつも、出会った場所も、ドラマチック！

かたせ　オーナーの中谷健太郎さんもご自身アーティストで、調度品なんかもアーティスティックな佇まいのものでそろえられていて。すっごく大きい、昔のビクターのロゴマークがついてるみたいな蓄音機、あるじゃない？　アンティークだと思いますけど、そんなものがさりげなく置かれていたりね。そういうところで、オーディションのフィルムを回したんです。ちょうど夏の蛍がきれいなころだったかな、もうね、すべてにおいて絵になっちゃう（笑）。いま、回してるフィルム自体がコマーシャルになるよね、なんて。

――笹尾さんという人の印象を決めちゃいそうな出会いですね（笑）。

かたせ　そうなの。みなさん、まるまる一日いらっしゃったのかな。夜、一緒にごはんを食べたことを覚えています。しかもね、そのときのロケ隊のヘア担当が、高校のときの知り合いだったんです。クレアトゥールの内野邦彦くんなんですけど、そういう仕事をしていたなんて知らなかったから「あれ？　何でいるの？」なーんて（笑）。もうね、いろんなドラマチックが重なったんです。だから、あの日のことは、いまでもよく覚えています。

――ロケ隊を率いていた「笹尾光彦さん」の印象は、どうでしたか？

かたせ　とにかく、やりたいことがはっきりしてらっしゃいましたね。何がつくりたいのかが、わかりやすかった。全体のプロデュース、細かなディレクション、絵コンテも笹尾さんが描いてらしたのかなあ。すべてを把握して、すべてを統括してるような印象。ただ、お役目として任務をまっとうしているんじゃなく、「ぼくは、こういうものをつくりたいんです」という、静かだけど熱い思いが、お仕事ぶりから伝わってくる方でした。

――なるほど。

かたせ　みんなをまとめる「長」の立場にいるんだけど、大きな声でガンガン引っ張っていくタイプじゃない。反対に、もの静かなんだけど、言葉や行動が曖昧じゃないから、現場にピシッと「いい緊張」が走る。どうしてこっちのほうがいいのか、どうしてこっちだとダメなのか。そのあたりのことを丁寧に説明してくださるので、わたしたち演じる側としても、クリエイティブの意図を理解しやすいんです。

――ものごとの組み立て方が緻密ですものね。笹尾さんって。

かたせ　そう、その場の勢いでつくっていくタイプじゃなく、しっかりきっちり「建築していく」という印象ね。大きな建造物を下から組み上げていくように、映像を撮っていく人だなあと感じました。いきなり大きな花火をドカーンと打ち上げちゃうタイプじゃなくて「コツコツコツコツ、お城を築いていくような人」ですよね。だから、のちのち画家に転身されたわけじゃない？　とつぜん会社をお辞めになって。

――ええ。

かたせ　あのときも「ああ、笹尾さんがお決めになったのなら、そうなのね」って。そういうご準備をなさっていたのね……って、わかるような気がしましたもん。

――そうですか。

かたせ　うん。「納得！」って感じかな（笑）。

――そのコマーシャルのときなのか、ひととおり撮影が終わったあと、かたせさんがスタッフのみなさんを食事に招いてくださったと、笹尾さんが、大切な思い出を披露するように教えてくれたんですが、覚えてらっしゃいますか？

かたせ　ああ、ヴォルガへ行ったんじゃないかな、たしか。ロシア料理のお店。わたしも一品、つくっていったような覚えがあります。

――スタッフさんを20名も招待されたそうですが、長いテーブルがあって、その席順がくじ引きだった、と。肩書や立場なんか関係なく。かたせさんの、誰に対しても公平なその態度に感激したんですと言ってました。ちなみにですが、テーブル中央のかたせさんの「ド正面の席」を引き当てたのが、何を隠そう、笹尾さんだったそうです。引きが強い（笑）。

かたせ　そうだったかしら（笑）。あのころって、ひとつの仕事をやり遂げたら、そういう懇親の席を設けて、みんなでごはんを食べたりしていたんです。撮影のときの笑い話だとか、次はどんなことがしたいかなあとか、いろんなお話をしながら。いい時代ね。

――これはまた別のエピソードなんですが、あるとき立木義浩さんの撮影でスコッチのCMを撮ったらしいんです、笹尾さん。近衛十四郎さんと松方弘樹さん親子に出ていただいたそうなのですが、本番ではウイスキーに見える何か……じゃなく「本物」で撮影したらしいんですね。

かたせ　松方さん、お酒、強いもんね。

――でも、何テイクか重ねていくうちに「1本、空けてしまった」そうなんです。おっしゃるように、おふたりともお酒に強いのですが、さすがにちょっと酔っ払ってしまったそうで、撮影後、松方さんが「みなさんと打ち上げをしようと思って用意してきたのですが」と、かなりの額のお金を置いてお帰りになったそうです。つまりその、打ち上げの費用の……ここから先は勝手な想像ですが「ぶあつい札束」を（笑）。

かたせ　ふふふ（笑）。

――高倉健さんも、撮影スタッフ全員を中華料理店に招待してくださったりとか、かたせさん・松方さん、高倉さんと、東映育ちのみなさんは、とりわけスタッフを大切にしてくださった印象があるんです……なんてことも、言ってました。

かたせ　ああ……京都の撮影所でも、スタッフさんの慰労パーティとか何とか、セットの中でガンガン炭火で焼肉やったりとかしてたわね。あれって、東映のカラーなのかしら。

――そういえば先ほど、いきなり広告の仕事を辞めて画家になった笹尾さんのことを「納得！」っておっしゃってましたが。

かたせ　ええ。

――笹尾さんの描く絵については、どんなふうに思ってらっしゃいますか？

かたせ　あたたかいですよね、とっても。わたしも何枚か持っていますけど、眺めていると気持ちがホッとするんです。お人柄じゃないかな。にじみ出ていますよね、絵に。

――わかります。みなさん、そうおっしゃいます。

かたせ　描く方によっていろいろじゃないですか、絵って。強烈なインパクトで存在感のある、一枚ならいいけど、たくさんは……みたいな絵もありますし。でもわたし、笹尾さんの絵を玄関にも、リビングにも、バスルームにも飾ってるのね。

――そんなに、何箇所も。

かたせ　たぶん「居心地をよくしてくれる絵」なんだと思うんです。何だろうなあ、「フランスの家庭料理」みたいな。

――おおー、なるほど。素敵なたとえですね。

かたせ　きっと「日常」って、ああいうことなんだと思うんです。家庭料理ってそうじゃない？　毎日おいしく食べられるでしょう。笹尾さんの絵も、同じようなところがあるのね。

――居心地をよくしてくれる……はい、よくわかります。

かたせ　部屋に寄り添ってくれる絵だとも思います。大きな部屋にちょこんとかけてあってもかわいいし、ちっちゃい部屋にも、すっとなじんでくれますよね。笹尾さんの絵って、ちゃーんと「自分の居場所がわかっている絵」なんだなって思うんです。

――笹尾さん、そういう絵になったらいいと思って描いているような気がします。だから、いまの感想を聞いたら、きっとよろこぶんじゃないでしょうか。

かたせ　やっぱり、ずーっと広告をやってらしたから、受け手側の気持ちを、きちんと考えて描いてらっしゃるんでしょうね。それはもう、もともとのお仕事柄ね。人によろこんでもらうことが大好きで、そういうことひとつひとつに気を配れるくらい、丁寧に生きてらっしゃるんだと思う。それでいて「大胆さ」も、同時に持ち合わせている人。

――はい、何せ「真っ赤な絵」ですものね。56歳で会社を辞めて、その翌年の一発目の展覧会から「真っ赤」で、25年間ずーっと「真っ赤」。

かたせ　そんなスケールの大きな、大胆なことができるのって、どっしりした基礎があってこそじゃないですか。緻密に構築された大胆さ……っていうのかしら。

――相反するような印象が、いつでも同居していますよね。そういうところが、たしかに、笹尾さんご本人や笹尾さんの作品の魅力だと思います。

かたせ　わたしの場合は、出会いのきっかけが「キャンセルからの復活」で（笑）、はじめてお会いしたのが「亀の井別荘」でしょ。おかげで、ドラマチックさや大胆さと、上品、緻密、アーティスティックな感じ……みたいな印象が、ないまぜになっているんです。笹尾さんという人にも、笹尾さんの絵に対しても、同じように。最初の印象って、大事よね。

――2023年7月31日　青山にて

かたせ梨乃（かたせりの）

1957年生まれ、東京都出身。大学在学中にCMモデルとしてデビュー。テレビ番組『11PM』のカバーガールおよび司会アシスタントで注目される。1978年『大江戸捜査網』でドラマデビュー。第11回日本アカデミー賞最優秀助演女優賞を受賞した『極道の妻たち』シリーズをはじめ、『吉原炎上』『肉体の門』『東雲楼 女の乱』など多数の映画出演のほか、ドラマ、バラエティ番組などさまざまな分野で活躍中。

いつまでも、気になるやつ。

村松友視（作家）

12

――笹尾さんと村松さんは、中学と高校で同級生だったそうですね。

村松　中学も一緒だったかな？　ぼくが通っていたのは静岡の城内中学ってところで、何せ1学年800人・17クラスもあったものだから、同学年とはいえつきあいの範囲も狭く、中学時代の笹尾のことはまったく覚えてないんですよ。静岡市の駿府城の内堀の中に建てられた学校で、もとの静岡34連隊という有名な部隊の兵舎を校舎にしていました。雨が降ると、暗くて黒板が読めない。兵舎だから「窓の数」が少なくて。そのおかげで、ぼくは数学ができなかったんじゃないかと勝手に思ってるほど。

――そうなんですね（笑）。

村松　兵舎で1年生を過ごしたあと、2年生になったら渡り廊下を渡って、新校舎。といったって当然、当時のことだから「木造」だけどね。で、3年生でまた別な兵舎で授業を受けてました。とにかくね、全体が駿府城の空間なんです。敷地の真ん中に「家康公お手植えの蜜柑の木」が植わっていて、その向こうにどーんと富士山がそびえ立っているという。

――家康公、富士山、駿府城。何だかもう、スケールが（笑）。

村松　そんなわけで中学のころの笹尾の記憶はないんだけど、静岡高校では同じクラスだったような気がします。詳しく聞いたことはないんだけど、笹尾って家庭的に複雑だったんじゃないかな。たしか駿府城の外堀沿いの親戚の家か何かに下宿していたはず。どういう事情で実家と別のところに下宿していたのかは知らないんだけど、貧乏で一家離散しちゃってっていうんじゃないと思うんです。もっと別の……何らかの屈折した家庭の事情で、一家が暮らせないような状況にあったのかもしれない。いや、詳しいことはまったく知らないんだけど。

――当時の笹尾少年には、そんな雰囲気があった……？

村松　いかにも「下宿をして中学や高校へ通う、ニヒルなやつ」っていう印象かな。どこか心の底から思い切り笑うようなことのないような、そんな雰囲気がありましたね。いま描いている絵とは正反対の、陰で、暗くて、屈折していて……訳ありの大人が詰襟を着ているみたいな、そんなふう。

――意外……です。

村松　笹尾には、どこか「ニヒルさ」を感じていたんです。ぼくの家も複雑だったんで、そういう雰囲気には敏感だったのかもしれない。

――少し前に笹尾さんとお話ししたときに、中学・高校時代の村松さんのことを「どこかニヒルな雰囲気があった」と言っていました。つまり同じ感想を抱いていたんですね、お互いに。

村松　とにかく、あの「ニヒルさ」は脳裏に焼きついている。空間の隔たりを貫いて、こちらまで届いてくるような独特の「暗さ」があった。高校時代も、それほど親しくつきあっていたわけじゃないし、ロクに話をしたこともなかったと思うんだけど……たぶん、笹尾が絵を描いていたってことも、当時のぼくは知らなかったと思う。ただただ、あのニヒルさや屈折のあげくの暗さみたいな、ある意味大人びた個性に惹かれていました。

――惹かれていた。

村松　自分にも、通じるものがあったから。

――会話の断片、みたいなものも記憶にありませんか？

村松　何かを話した記憶はあるんだけど、具体的には覚えていない。ぼくの言ったことに対して「そうだよね」とか、ボソッと大人びたつぶやきを漏らすようなやつだった。昭和初期に書かれた小説の主人公で、やがて作家や画家になるような人間の孕む何か……というふうに、いまでは思うけどね。それでいて、近寄りがたいというほどドスが効いているわけでもない。

――たしかに「太陽みたいに明るい」というわけではないと思うんですが、いまの村松さんの印象には、驚きました。陰と陽なら、陰……の、少年時代。

村松　静岡っていうと富士山があって、蜜柑が採れて、お茶がおいしくて、魚がうまくて、太陽さんさん、すみずみまで明るい……というイメージがあるでしょう。

――はい。ゴッホの人生における「アルル」みたいな。

村松　そう、明るくて淡白で、温暖で、ちっちゃなことにこだわらない気風。ぼく自身は静岡の生まれじゃないので、「外の目」で同級生を眺めていると、そういう「陽」な感じを受けていたんです。でも、その中にひとりだけ、自分と同じような色合いのやつがいた。

――それが、笹尾さん。

村松　静岡県って、海岸沿いは陽の世界だけれど、山梨や長野に接する地域には「陰」があるんですよ。一般的な静岡のイメージから外れるんだけれど。笹尾は、それぶくみの静岡って感じかな。まわりのやつらは、総じて「陽」だった。笹尾だけが、際立って陰。そこにだけ「影」を感じた。

――これまでの11人のみなさんの「笹尾光彦像」って、知り合った時期がまちまちなこともあって、それこそ「それぞれの笹尾さん」なんです。ときに、ちっちゃく矛盾するくらいのちがいはあるんですが、でも「陽の人」で、物腰が柔らかくて、やさしくて、有形無形いろんなものをくださる人……という印象は共通していたんです。

村松　そうでしょうね。

――笹尾さんの描く絵についての印象も「明るくて、元気をもらえる」という点で、ほぼ一致していました。他の方とは異質な笹尾さん像を教えてくださった村松さんは、じゃあ、笹尾さんの描く絵については、どういった印象をお持ちですか?

村松　ぼくは、笹尾の初期の絵を見て、その「暗さ」にびっくりしたんです。いくつか、絵の中に「お父さんの絵」をそのままおさめた作品もありました。ひとつの作品の中に、過去の時間が孕まれているという……いまの「赤い絵」とは別ですね。お父さんも画家だったらしいんだけど。

――日本画家だったとうかがっています。笹尾さんって、マティスの晩年の切り紙絵の「ブルーヌード」を自作に描き入れたりしますけど、そうですか。画中画として、お父さんの絵を……。

村松　画中画の領域が、たしかに笹尾の作品のテイストにはありますね。思うに、お父さんのことを「認めるべき画家」と感じていて、そのお父さんのような画家にはなれないし、ならない自分というものが、意識のどこかにあったんじゃないかなあ。少なくとも、最初のうちは。だって「父親の絵を描き入れる」なんて行為自体、きわめて「小説的」じゃないですか。

――たしかに……いろんな物語を想像してしまいます。

村松　だからね、いまや「赤の画家」と言われている笹尾の、あのマティス的な、あれほどの「赤い絵」を見ても、何か「派手な赤」というより、むしろ「静謐《せいひつ》な赤」ってイメージを受けるんです。ぼくにはとうてい、あの赤が、単に赤い絵の具だけから生まれる赤だとは思えない。それが、いわゆるポップな絵とはちがう、笹尾の世界というものの複雑性じゃないですかね。

――笹尾さんの「赤」は、「赤い絵の具」からは生まれない……!?

村松　実際はどうかわからないんだけれど、あの「笹尾光彦の赤」は、ただの赤い絵の具から生まれる赤ではないと思う。むしろ、暗い絵の具を塗り重ねて塗り重ねて塗り重ねていった先に、ああいう赤が現れるっていうのか。絵の具の赤というより「笹尾光彦の赤」という感じです。笹尾のニヒルさや暗さ、影のようなものの記憶から、そんなふうに感じすぎるのかもしれないけれど。

――おお……。

村松　何の根拠もない、妄想的笹尾光彦観なんだけどね。自分が幼少期に寄り添えなかった過去を取り戻すように、フランスの景色や店や日用品やマティスに寄り添っているというか。

――いや……いま、ちょっと震えました。おそらく誰に聞いても「笹尾さんの絵は赤と光と明るさに満ちていて、そこには笹尾さんの大好きなもの……フランスのかわいい雑貨や美しい花々があふれている」なんて言うと思うんです。でも、笹尾さんと少年時代を共有している村松さんにとっては……。

村松　いまのところ仮説の域かもしれないけど「笹尾光彦の絵」が「ただ、それだけ」だったら、あんなにも多くの人に浸透していかないいんじゃないか。笹尾光彦の絵がそんなもんじゃない理由のひとつに、笹尾光彦の絵の奥の奥には「あのときのニヒルな中学生」が棲みついているんじゃないかなと、ぼくは思ってます。

――あの……先ほどチラっと「ぼくの家庭も複雑なんだけど」っておっしゃいましたよね。いま、村松さんの小説『ゆれる階《きざはし》』を読んでいるんですが。

村松　ああ、はい。

――村松さんは、お父さんとお母さんを早くに亡くし、祖父母に育てられた。でも、あるとき亡くなったと聞かされていたお母さんが、じつは生きていたと知る。で、そのお母さんが本当に亡くなったときに「母は二度、死んだ」と感じた経験から書かれた、自伝小説ですけれども……笹尾さんから「衝撃的におもしろいから、ぜひ読んでほしい」と言われたんです。

村松　あ、そう。笹尾って、そういうことを一切、ぼくに言わないんで。笹尾の作品の見方と反対で、陰のような作品の中に「屈折した明るさ」を見てくれているのかな。笹尾が、ぼくの小説をそんなふうに言ってくれたんだとしたら、うれしいけど。

――実際に読んだら、もちろんおもしろかったんです。でも「衝撃的」という表現に、少し違和感を覚えました。つまり、何というか、その言い方に「何か切実なもの」が潜んでいるような……。

村松　たぶんね、あの小説を読んでそんなふうに言うってことは、少年時代の「屈折」みたいな部分で、通じ合うものを感じてくれたのかもしれないです。家庭が変則的だったことは、お互いに共通していると感じていたから。

――話をしたことはないんですか？　ちっちゃいころの境遇について。

村松　そういうことを屈託なく聞けないのよ、自分の性格として。笹尾もしゃべんないしさ。「いや、俺も、そういう感じ、わかるんだよ」とかって、つぶやくように言う顔は何となく浮かぶんだけど。とにかく、そういう話をすると照れちゃうんで、お互いに。

――村松さんのお話を聞いていると「少年時代を共有していること」って、あらためて、とんでもないことなんだと感じます。それに、笹尾さんによれば、村松さんと急速に親しくなったのは40歳近くになってからだそうですが、そんな大人になってから親友みたいになったりできるんですね。

村松　めずらしいでしょうね。ただ、どっちも親しげに近づいていくタイプじゃないから、何かをどこかで感じていても、肝胆相照《かんたんあいて》らすみたいな関係性を築くようになるまでには、それくらいの時間がかかるものだと言えるのかもしれない。笹尾もかなりの年齢になって、ようやく父の絵を自分の作品と一体化できたわけだし。

――笹尾さんと親しくなった時点では、村松さんはすでに作家デビューされていたと思いますが、笹尾さんはまだ広告会社にいたわけですよね。それがあるときにスパッと辞めて画家になるわけですけど、そのときはどう思われましたか？

村松　笹尾なら、こういうこともあるというか……なんかね、笹尾が、人生において考えもなくおかしなことをやらかすってことはないという気がするんです。だから、まわりからしたら突飛な行動に思えたとしても、笹尾にとっては自分の筋道に沿った「自然」なんだろうな、と。ただ、画家への転身はびっくりしなかったけれど、あの赤には、やはりショックを受けました。

――画家になることは「自然」……だと思えた。

村松　そういうときが来たんだろうなあ、と。それにね、ぼくは、いまの笹尾の絵が「笹尾の本当の絵」なのかも、まだわからないような気がするんですよ。

――と、おっしゃいますと……？

村松　いまの絵が「笹尾風」であるのはたしかだけれど、もしかしたら「本当に描きたいもの」が出てくるかもしれないでしょう。まだまだ。

――つまり「赤の画家」じゃない、別の「笹尾光彦」が現れるかも？　これから？

村松　もちろんね、これだけ求められている「赤い絵」を手放すことはないと思うんです。でも、別の何か、新しい要素をチラッと垣間見せるようなときが、不意に来るかもしれない。じつは、いまの「赤の画家」である笹尾作品の中に、目を凝らせば、ちらほらヒントがちりばめられていたりして。いや、何の根拠もないですよ、もちろん。

――でも、たしかに……それくらいの「底知れなさ」を感じるようになりました。笹尾光彦さんという人に。今回の12組のインタビューを通じて。

村松　新しいもの、それが何なのかは、ぼくなんかにはわからないけどね。この先、思いもかけないような笹尾作品が現れたときに「ああ、そうか、これなんだな」なんて思わされるようなことが、ないとも限らない。

――あらためてですけど、村松さんにとって、笹尾さんってどういう存在でしょうか？

村松　気になる逃げ水。

――まだ「気になる」んですか？　お互い83歳になる、いまでも？

村松　いつまでも、気になるやつ。で、ずっとその輪郭がとらえられないやつなんですよ。ぼくにとっての、笹尾光彦って。

――2023年8月4日 神保町にて

村松友視（むらまつ ともみ）
1940年、東京都生まれ。慶應義塾大学文学部卒業。82年『時代屋の女房』で直木賞、97年『鎌倉のおばさん』で泉鏡花文学賞を受賞。著書に『私、プロレスの味方です』『上海ララバイ』『夢の始末書』『作家装い』『百合子さんは何色』『アブサン物語』『贋日記』『幸田文のマッチ箱』『淳之介流』『俵屋の不思議』『老人の極意』『老人のライセンス』『老人流』『アリと猪木ものがたり』等多数。

MATISSE
CHRISTO
PICASSO
GEORGE SEGAL
TÀPIES
MARK ROTHK
VERMEER
JEAN DUBUFFET
HOCKNEY
MONDRIAN
DUCHAMP
La Collection
JIM DINE
evian
evian

結局、笹尾を笑ガッとは誰れだったのか？

SASAO

赤の謎　画家・笹尾光彦とは誰なのか

カバー画『オペラ座』、巻末の絵『Red Sofa』　笹尾光彦

二〇二三年一〇月二五日　初版第一刷発行

構成・文　奥野武範（ほぼ日刊イトイ新聞）
挿画　笹尾光彦
印刷　株式会社シナノ パブリッシングプレス
装丁　田口智規（ほぼ日刊イトイ新聞）
校閲　藤吉優子
編集協力　鶴見さくら（ほぼ日刊イトイ新聞）
発行者　増本幸恵
発行所　リトルギフトブックス
〒二四八-〇〇〇七 神奈川県鎌倉市大町六-六-一
tel & fax 〇四六七-三八-六三六五
littlegiftbooks.com
info@littlegiftbooks.com

ISBN 978-4-911077-01-6　C0095